cuisine thaïe

sommaire

cuisine thaïe

Oi Cheepchaiissara

marabout

Publié pour la première fois en Grande-Bretagne en
2009 sous le titre *200 Thai favourites*.

Crédits photos © Octopus Publishing Group Ltd/
Eleanor Skan
Autres photos © Octopus Publishing Group Limited/
David Loftus 4, 47, 91, 99, 117, 129 ; Neil Mersh
109, 113, 169 ; Sandra Lane 23, 27, 37, 43, 65,
83, 87, 103, 119, 147, 161, 177, 199, 215, 221,
225, 229 ; William Reavell 21, 79, 95, 125, 137,
173, 183, 195, 235.

Traduit de l'anglais par Constance de Mascureau.
Mise en pages : les PAOistes.

Pour l'éditeur, le principe est d'utiliser des papiers
composés de fibres naturelles, renouvelables,
recyclables et fabriquées à partir de bois issus
de forêts qui adoptent un système d'aménagement
durable. En outre, l'éditeur attend de ses fournisseurs
de papier qu'ils s'inscrivent dans une démarche
de certification environnementale reconnue.

ISBN : 978-2-501-06227-5
Dépôt légal : avril 2011
40.2116.8 / 03
Imprimé en Espagne par Cayfosa Impresia Ibérica

introduction

En écrivant ce livre, j'ai voulu vous montrer comment préparer une large sélection de plats thaïs les plus populaires. Chaque recette comprend au moins une variante, à base d'ingrédients légèrement différents. Dans cette introduction, je présente certains ingrédients qui ne vous sont peut-être pas familiers, ainsi que quelques méthodes de base.

Chaque fois que je retourne en Thaïlande, je suis impressionnée par la qualité de la cuisine : non seulement dans les restaurants, mais aussi dans les stands des nombreux marchés de rue, que l'on trouve un peu partout à Bangkok et dans d'autres villes (et même le long des grandes routes). Ce que l'on appelle la « streetfood » a très peu de ressemblance avec son équivalent en Occident. Les gens aisés envoient leurs domestiques au marché local acheter des plats cuisinés, car ceux-ci sont préparés par des spécialistes qui les réussissent à la perfection. Les Thaïs sont à juste titre fiers de leur cuisine, et je suis très heureuse de vous en révéler certains secrets.

développer son goût

J'ai acquis mon savoir sur la cuisine thaïe grâce à ma famille, mais aussi en aidant des maîtres dans cet art, puis en réalisant mes propres expériences. Cette activité pratique m'a été précieuse, mais c'est en mangeant thaï que j'ai le plus appris. Peut-être y a-t-il aussi un élément bouddhiste dans l'histoire : les moines préconisent de se concentrer pendant que l'on mange, de penser à ce que l'on est en train de faire, plutôt que de mâcher tout en parlant d'autre chose. Les Thaïs mangent rarement en silence, mais la conversation finit souvent par tourner autour de la nourriture qui se trouve devant eux : « Délicieux, mais un peu trop salé… », « C'est presque parfait, mais avec un peu plus de tamarin… » Si vous mangez régulièrement des plats thaïs, surtout avec des amis thaïs, votre palais se développera rapidement.

pour commencer

Si vous êtes un vrai débutant et que vous n'avez jamais préparé – ni même goûté – de la cuisine thaïe, ne vous en faites pas. Ce livre décrit la préparation et la cuisson des plats pas à pas, avec des quantités précises. Dans la pratique, les cuisiniers thaïs ne sont pas très exacts dans leurs mesures, et préfèrent se fier à leur expérience. J'ai donc dû recréer les plats et non traduire littéralement les recettes existantes.

ques, la cuisine thaïe se caractérise par sa façon de les préparer. Par exemple, la viande est détaillée en tranches très fines pour cuire plus vite. Il faut du temps pour préparer les plats, alors que la cuisson est souvent rapide et facile. C'est donc une cuisine idéale à servir lorsque vous invitez des amis à dîner : vous pouvez préparer les plats 1 ou 2 heures à l'avance, puis les cuire et servir le repas bien à l'heure.

matériel

Pour cuisiner thaï, pas besoin de beaucoup de matériel particulier. La plupart des gens possèdent déjà des casseroles, des plats et autres récipients. Mentionnons cependant ces quelques ustensiles très utiles :

wok antiadhésif C'est un bon investissement si vous vous mettez à la cuisine orientale. Choisissez une taille adaptée au nombre de personnes pour lesquelles vous cuisinez.

casseroles et poêles antiadhésives sont essentielles. Il vous faut au moins une petite casserole pour préparer des sauces.

couteau très tranchant C'est l'ustensile le plus utile dans la cuisine.

planche et rouleau à pâtisserie

cuit-vapeur Vous pouvez vous servir d'une grille standard, ou bien d'un panier en bambou.

mixeur ou un pilon et un mortier, si vous voulez écraser plus soigneusement les herbes.

quelques particularités

La nourriture thaïe se reconnaît instantanément car ses plats ont certains traits communs. Les plantes fraîches comme la citronnelle, le galanga, le gingembre, la coriandre et les feuilles de kaffir y sont très présentes, de même que les racines au goût relevé, ainsi que les échalotes, l'ail, etc. La cuisine thaïe est la seule au monde qui utilise toutes les parties de la coriandre : les racines, les tiges et les feuilles. Nous sommes assez économes : on ne jette aucun ingrédient qui puisse servir dans un autre plat.

En plus de sa variété d'ingrédients typi-

dans les placards

Certains ingrédients, courants en Thaïlande mais rarement utilisés dans la cuisine occidentale, vous seront nécessaires.

châtaignes d'eau

La chair blanche et croquante de ces petits bulbes ronds apporte une texture croquante à certains plats. Achetez-les en conserve.

huile de sésame

Huile ambre foncé, très aromatique. On l'utilise plutôt pour assaisonner que pour frire.

lait de coco

Ingrédient clé des currys et autres plats thaïs, le lait de coco est un liquide crémeux dérivé de la chair de la noix de coco.

nouilles de riz

Un ingrédient de base à avoir en stock dans sa cuisine. Les nouilles séchées *(sen lek)* mesurent environ 2,5 mm de largeur ; les nouilles plates *(sen yai)* de 1 à 2,5 cm de largeur. Les vermicelles de riz *(sen mee)* sont très fins. Faites tremper ou cuire les nouilles dans de l'eau bouillante en suivant les instructions de l'emballage. Égouttez-les, puis plongez-les dans un récipient rempli d'eau froide, égouttez-les de nouveau.

pousses de bambou

Ayez en réserve quelques boîtes de pousses de bambou émincées. À ajouter dans des currys et autres plats.

sauce de poisson

Il existe de nombreuses sauces de poisson asiatiques, faites à partir de différentes espèces de poisson (anchois par exemple).

sauce d'huître

Sauce préparée en faisant bouillir des huîtres dans de l'eau pour obtenir un bouillon blanc, condensé ensuite en une sauce de couleur brun foncé.

sauce soja claire

Obtenue à partir de graines de soja, la sauce soja claire est un liquide brun opaque, plus clair que d'autres types de sauce soja. Elle ajoute une saveur salée à un plat.

vermicelles de soja *(wun sen)*

Également connues sous le nom de nouilles de haricots mungo, nouilles de verre ou nouilles cellophane, ils deviennent translucides en cuisant.

au congélateur

Les seuls ingrédients à garder au congélateur sont les galettes de riz (12 cm de côté) et les feuilles de wonton. Décongelez-les avant emploi. Vous pouvez aussi congeler des restes de citronnelle, de

feuilles de kaffir et de galanga frais, ou du lait de coco (dans des sacs hermétiquement fermés sur lesquels vous aurez inscrit la date de congélation), pendant 2 à 3 mois.

autres ingrédients typiques
Voici quelques ingrédients les plus typiques, dont certains vous sont peut-être inconnus.

aubergines thaïes
Très différentes de la variété pourpre, les aubergines thaïes ont une saveur amère. Elles peuvent avoir la taille d'un pois ou d'une balle de golf.

baies de Goji
Comme de nombreux Thaïs, j'utilise des baies de Goji tibétaines séchées. Elles sont considérées comme un « super aliment », exceptionnellement riche en antioxydants.

basilic thaï
Il se différencie du basilic ordinaire par sa tige pourpre et sa saveur anisée.

champignons
Vous pouvez acheter des champignons noirs et blancs séchés dans la plupart des épiceries asiatiques. Faites-les tremper dans de l'eau chaude 2 à 3 minutes puis égouttez-les avant emploi.

citronnelle
Ingrédient capital de la pâte de curry thaïe, la citronnelle ajoute une délicate note citronnée aux plats. Vous pouvez couper finement la citronnelle et l'ajou-

ter directement dans une préparation qui doit cuire longtemps, ou bien écraser légèrement les tiges épaisses avant de les ajouter dans un plat, puis les enlever une fois la cuisson terminée. Achetez des tiges fraîches.

citron vert
Nous avons une préférence pour les citrons verts, mais vous pouvez utiliser des citrons jaunes si vous le souhaitez.

coriandre
Très appréciée en Occident mais généralement vendue sans les racines. Essayez d'en trouver avec un peu de racine si la recette le préconise ; sinon, la tige peut faire l'affaire. Nous utilisons également de la coriandre moulue. Les feuilles fraîches, quant à elles, servent souvent de décoration.

feuilles de kaffir
Seul ingrédient de cette liste difficile à trouver en Occident. Les feuilles de kaffir sont employées pour relever le goût de certains currys.

galanga

Autre composant essentiel de la pâte de curry thaïe, le galanga ressemble au gingembre mais a un goût très différent. Étant difficile à couper, faites attention à ne pas vous blesser.

piments

Les deux principaux piments utilisés dans la cuisine thaïe sont les petits piments oiseaux frais (variété caractéristique d'environ 2,5 à 5 cm, qui pousse en Thaïlande), et les piments rouges frais ou séchés, beaucoup plus gros (12 cm de long) et moins forts, mais qui ajoutent une délicieuse saveur douce à vos plats. Les piments frais peuvent être rouges ou verts ; les rouges (mûrs) sont plus fréquents.

protéines de soja texturées

Obtenues à partir de graines de soja, elles ont une consistance similaire à celle de la viande. Elles sont riches en protéines, en fibres et en fer, et ne contiennent ni cholestérol ni graisse.

tamarin

Fait à partir de la pulpe séchée des graines de tamarinier, le tamarin peut être acheté en tube sous forme de pâte. Il ajoute une saveur acide aux sauces aigres-douces. Pour préparer un jus de tamarin, il faut mélanger de la pâte de tamarin avec de l'eau bouillante (voir page 90).

taro

Légume racine blanc. Le taro est un tubercule farineux provenant d'une plante à feuilles larges, également appelée taro. Sa texture ressemble à celle de la patate douce : il faut le cuire jusqu'à ce qu'il soit tendre.

épices

Dans la mesure du possible, nous donnons la préférence aux herbes fraîches. Les épices en poudre sont cependant également employées, surtout dans les plats du sud de la Thaïlande, où l'influence de la Malaisie est très forte. Nous ajoutons volontiers un peu d'épices dans la pâte de curry thaïe. Voici les épices moulues très présentes dans la cuisine thaïe : coriandre, cumin, poivre blanc, poivre de la Jamaïque, curcuma et curry jaune.

préparer des fruits de mer
calamars

Enlevez la membrane externe des calamars et rincez l'intérieur des corps. Coupez chacun en deux et ouvrez-le. Quadrillez la chair en diagonale avec un couteau, puis détaillez-la en carrés.

crabes

Placez les crabes au congélateur pendant 1 heure. Puis, en laissant les pattes attachées, fendez le crabe en deux en passant par le centre de la carapace, de haut en bas, puis de gauche à droite, en le découpant ainsi en quatre. Détachez les pattes en les faisant pivoter puis enlevez la carapace supérieure. Retirez l'estomac et les viscères. Servez-vous d'un casse-noix ou du manche d'un couteau lourd pour casser les pinces : elles seront ainsi plus faciles à manger.

crevettes

Décortiquez, déveinez puis incisez chaque crevette crue le long du dos. Ouvrez-la en papillon, sans séparer les deux parties.

moules

Vous pouvez acheter des moules sans les coquilles, fraîches ou surgelées.

noix de Saint-Jacques

Éliminez les veines, membrane et muscle blanc dur de chaque noix. Les petites noix de Saint-Jacques peuvent être laissées entières, et les plus grandes coupées en deux.

astuces utiles
friture

Pour faire frire des aliments, l'huile doit être à la bonne température dans le wok ou la grande poêle. Faites chauffer l'huile à feu moyen, pas trop pour qu'elle n'éclabousse pas. Pour tester la température, plongez-y un petit morceau de nourriture : l'huile est assez chaude si le morceau se met à grésiller immédiatement.

pas de mixeur ?

Si vous n'avez pas de mixeur, vous pouvez hacher finement à la main les ingrédients comme l'ail ou les racines de coriandre. Le résultat final sera à peu près le même.

ajuster l'assaisonnement

Dans presque toutes les recettes de ce livre, le cuisinier doit « goûter et ajuster l'assaisonnement ». La liste d'ingrédients comporte divers condiments ou assaisonnements, comme le jus de citron vert, la sauce de poisson, la sauce soja claire, le sel de mer ou le poivre noir moulu. Mettez la plupart de la mesure indiquée, mais gardez-en un peu de côté et ajoutez-en si cela vous semble nécessaire. C'est une pratique courante dans la cuisine thaïe.

lancez-vous !

Si vous utilisez les bons ingrédients et suivez scrupuleusement les recettes, il n'y a aucune raison pour que vous ne parveniez pas à créer un délicieux repas thaï du premier coup. Alors, bonne cuisine !

entrées, soupes et salades

aumônières aux crevettes

Pour **40 aumônières**
Préparation **40 minutes**
Cuisson **40 minutes**

1 ½ c. à s. de **farine**
6 c. à s. d'**eau froide**
50 longs brins de **ciboulette**
425 g de **crevettes**
  crues hachées
150 g de **châtaignes d'eau**
  en conserve, égouttées
  et grossièrement coupées
3 ou 4 gousses d'**ail**
  émincées
¼ de c. à c. de **poivre blanc**
  moulu
1 c. à c. de **sel**
200 g de **galettes de riz**
  surgelées de 12 cm
  de côté (environ 50),
  décongelées
huile de tournesol
  pour la friture

Mélangez la farine et l'eau dans une casserole jusqu'à homogénéité. Remuez à feu moyen 2 à 3 minutes jusqu'à épaississement, puis réservez.

Hachez finement 10 brins de ciboulette. Mélangez les crevettes, les châtaignes d'eau, l'ail, les brins de ciboulette hachés, le poivre blanc et le sel.

Lavez puis faites tremper les brins de ciboulette restants dans de l'eau chaude 2 minutes pour les attendrir, puis égouttez-les et séchez-les.

Disposez 1 cuillerée à café de garniture au milieu d'une galette de riz. Avec le doigt, badigeonnez le pourtour de pâte de farine diluée dans l'eau, remontez les quatre coins et pincez-les pour envelopper la garniture. Fermez l'aumônière avec un brin de ciboulette et posez-la sur un plateau. Répétez l'opération avec le reste des ingrédients.

Faites chauffer 7 cm d'huile dans un wok à feu moyen. Pour savoir si l'huile est prête, plongez-y un petit morceau de galette de riz : il doit grésiller. Faites frire 10 aumônières à la fois 8 à 10 minutes. Égouttez-les sur du papier absorbant. Servez chaud ou tiède, avec de la sauce douce au piment (voir page 36).

toasts aux crevettes et au sésame

Pour **10 à 12 toasts**
Préparation **20 minutes**
Cuisson **20 minutes**

3 ou 4 gousses d'**ail**
  grossièrement hachées
2 ou 3 **racines et tiges**
  de coriandre
  grossièrement hachées
300 g de **crevettes**
  crues hachées
¼ de c. à c. de **poivre**
  blanc moulu
⅓ de c. à c. de **sel de mer**
1 gros **œuf**
5 ou 6 tranches de **pain**
  blanc sans la croûte,
  coupées chacune en
  2 triangles, séchées pendant
  la nuit ou grillées 1 à
  2 minutes de chaque côté
5 ou 6 c. à s. de **graines**
  de sésame
huile de tournesol
  pour la friture

À l'aide d'un pilon et d'un mortier ou d'un petit mixeur, pilez ou mixez l'ail et les racines et tiges de coriandre jusqu'à l'obtention d'une pâte. Ajoutez les crevettes, le poivre blanc, le sel et l'œuf puis mélangez.

Étalez la pâte de crevette en couche épaisse sur un côté de chaque triangle de pain. Parsemez de graines de sésame et appuyez bien pour les faire adhérer.

Faites chauffer 5 cm d'huile dans un wok à feu moyen. Pour savoir si l'huile est prête, plongez-y un petit morceau de pain : il doit grésiller immédiatement. (L'huile ne doit pas être trop chaude, sinon le pain cuira et brunira trop vite.) Faites frire quelques morceaux à la fois, côté tartiné vers le bas, pendant 3 à 4 minutes : les toasts doivent être brun doré. Sortez-les à l'aide d'une écumoire puis posez-les, côté tartiné vers le haut, sur du papier absorbant.

Servez chaud ou tiède en hors-d'œuvre, avec de la sauce douce au piment (voir page 36).

Pour des toasts au poulet et à la coriandre,
remplacez les crevettes et les graines de sésame par 300 g de poulet haché. Parsemez chaque toast de feuilles de coriandre et de lamelles de piment en appuyant pour les faire adhérer, puis faites-les frire 5 à 6 minutes en suivant les instructions ci-dessus.

petits paniers dorés

Pour **30 paniers**
Préparation **30 à 40 minutes**
Cuisson **15 à 20 minutes**

4 c. à s. d'**huile de tournesol**
2 gousses d'**ail** émincées
200 g de **poulet**
  ou de **crevettes** hachés
25 g de **carottes**
  coupées en petits dés
50 g d'un mélange de **maïs
  doux en grains** et de
  petits pois, décongelés
  s'ils sont surgelés
50 g de **poivron rouge**,
  épépiné et coupé
  en petits dés
1 c. à s. de **sauce soja** claire
½ c. à c. de **poivre blanc**
  moulu
1 pincée de **curry** en poudre
½ c. à c. de **sucre** en poudre
1 **ciboule** finement hachée
200 g de **galettes de riz**
  de 12 cm de côté,
  ou de **pâte filo**

Pour décorer
30 feuilles de **coriandre**
lamelles de **piment rouge**

Faites chauffer 1 ½ cuillerée à soupe d'huile dans un wok ou une grande poêle et faites-y dorer l'ail à feu moyen. Ajoutez le poulet ou les crevettes en émiettant la chair.

Ajoutez les carottes, le maïs doux, les petits pois et le poivron rouge puis faites revenir 1 à 2 minutes. Incorporez la sauce soja, le poivre blanc, le curry en poudre, le sucre et la ciboule, puis réservez.

Découpez les galettes de riz ou les feuilles de pâte filo en 60 carrés de 6 cm de côté chacun. Badigeonnez les feuilles avec un peu d'huile au fur et à mesure que vous les utilisez, puis disposez 2 carrés l'un sur l'autre dans les alvéoles d'un moule à mini-muffins (3,5 cm de diamètre) de façon que la feuille supérieure forme un angle de 45° avec la feuille inférieure. Préparez 30 paniers et faites-les cuire dans un four préchauffé à 180 °C pendant 10 à 12 minutes. Sortez délicatement les paniers et laissez-les refroidir un peu.

Disposez la garniture dans les paniers puis décorez-les d'une feuille de coriandre et de quelques lamelles de piment. Servez à température ambiante.

Pour des paniers dorés végétariens, remplacez le poulet ou les crevettes par 75 g de champignons de Paris ou de tofu ferme, émincés. Faites tremper les champignons dans de l'eau chaude 6 à 7 minutes. Ajoutez les champignons ou le tofu après avoir fait brunir l'ail, puis faites revenir à la poêle le reste des ingrédients comme indiqué ci-dessus. Si vous utilisez du tofu, ajoutez-le avant la sauce soja.

brochettes de poulet satay

Pour **40 brochettes**
Préparation **30 minutes**
+ marinade
Cuisson **40 minutes**

1 kg de **filets de poulet**
sans la peau

Marinade
4 ou 5 gousses d'**ail**
grossièrement hachées
4 **racines et tiges**
de coriandre
grossièrement hachées
3 **échalotes**
grossièrement hachées
2,5 cm de racine
de **gingembre** frais,
épluchée et émincée
1 c. à s. de **coriandre**
moulue
1 c. à s. de **cumin** moulu
1 c. à s. de **curcuma** moulu
1 c. à c. de **curry** en poudre
400 ml de **lait de coco**
en conserve
1 c. à s. de **sauce**
de poisson
50 g de **sucre de noix**
de coco, **de palme**
ou **roux**, ou 4 c. à s.
de **miel** liquide
4 c. à s. d'**huile de tournesol**
1 ¼ de c. à c. de **sel de mer**

Découpez les filets de poulet en morceaux puis mettez-les dans un saladier.

À l'aide d'un mortier et d'un pilon, pilez l'ail, les racines et tiges de coriandre, les échalotes et le gingembre jusqu'à obtention d'une pâte. Mélangez avec le poulet, ainsi qu'avec le reste des ingrédients de la marinade. Couvrez et laissez mariner au réfrigérateur au moins 4 heures.

Enfilez les morceaux de poulet sur des brochettes en bambou préalablement trempées dans de l'eau pendant 30 minutes, en laissant de la place sur les deux extrémités. Placez-les sous un gril chaud 4 à 5 minutes de chaque côté. Retournez-le fréquemment en badigeonnant de marinade pendant la cuisson.

Servez avec de l'oignon cru haché, des gros morceaux de concombre et de la sauce aux cacahuètes.

Pour préparer une sauce aux cacahuètes, faites chauffer 1 cuillerée à soupe d'huile dans une casserole et faites revenir 1 cuillerée à soupe de pâte de curry rouge ou Massaman 3 à 4 minutes. Ajoutez 200 ml de lait de coco, 200 ml de bouillon de légumes, 1 cuillerée à café de sucre, 1 cuillerée à soupe de sauce soja claire, 3 cuillerées à soupe de jus de tamarin (voir page 90) ou 1 cuillerée à soupe de jus de citron vert, 150 g de cacahuètes grillées hachées et 15 g de chapelure, puis mélangez. Goûtez et ajustez l'assaisonnement. Si la sauce est trop épaisse au moment d'être servie, ajoutez un peu de lait.

nems

Pour **50 nems**
Préparation **1 heure**
Cuisson **30 minutes**

50 g de **vermicelles de soja**
½ poignée de **champignons noirs** séchés
1 ½ c. à s. de **farine**
6 c. à s. d'**eau**
1 ½ c. à s. d'**huile de tournesol**
3 ou 4 gousses d'**ail** émincées
120 g de **crevettes** crues hachées
50 g de **carottes** finement râpées
50 g de **petits pois** surgelés, décongelés
50 g de **maïs doux en grains** surgelé, décongelé
150 g de **pousses de soja**
1 cm de racine de **gingembre** frais, épluchée et finement râpée
1 c. à s. de **sauce soja** claire
¼ de c. à c. de **poivre blanc** moulu
200 g de **galettes de riz**, de 12 cm de côté
huile de tournesol pour la friture

Faites tremper les vermicelles dans de l'eau chaude 4 à 5 minutes. Égouttez-les puis coupez-les avec un couteau tranchant.

Faites tremper les champignons noirs dans de l'eau bouillante 3 à 4 minutes, puis égouttez-les. Retirez les pieds fibreux et jetez-les, émincez ensuite les champignons.

Mélangez la farine et l'eau dans une petite casserole jusqu'à homogénéité. Remuez et faites chauffer à feu moyen 2 à 3 minutes jusqu'à épaississement.

Faites chauffer l'huile dans un wok et faites-y brunir l'ail. Ajoutez les crevettes, les vermicelles, les champignons, les carottes, les petits pois, le maïs doux, les pousses de soja, le gingembre, la sauce soja et le poivre et laissez cuire 4 à 5 minutes. Goûtez et ajustez l'assaisonnement, puis laissez refroidir.

Placez quelques galettes de riz sur un plan de travail. Disposez 2 cuillerées à café de garniture le long du bord le plus proche de vous. Relevez le bord puis roulez-le en faisant un demi-tour au-dessus de la garniture. Repliez les côtés vers le centre, puis enveloppez et scellez avec de la pâte de farine. Déposez sur un plateau et répétez l'opération avec le reste des ingrédients.

Faites chauffer 5 cm d'huile dans un wok à feu moyen. Faites frire les rouleaux en plusieurs fois 8 à 10 minutes. Égouttez-les sur du papier absorbant. Servez chaud ou tiède avec de la sauce douce au piment (voir page 36).

omelette roulée thaïe

Pour **2 omelettes**
Préparation **5 minutes**
Cuisson **1 à 2 minutes**

3 **œufs** battus
1 **échalote** émincée
1 **ciboule** émincée
1 **piment rouge** long,
   finement haché
1 c. à s. de feuilles
   de **coriandre** hachées
½ c. à s. de **sauce soja** claire
⅛ de c. à c. de **poivre**
   blanc moulu
1 ½ c. à s. d'**huile**
   de tournesol
quelques lamelles
   de **ciboule** pour décorer
   (facultatif)

Mélangez les œufs, l'échalote, la ciboule, le piment, les feuilles de coriandre, la sauce soja claire et le poivre blanc dans un récipient.

Faites chauffer l'huile dans une poêle antiadhésive ou un wok, versez-y la préparation aux œufs et répartissez-la dans la poêle en l'inclinant de façon à former une grande omelette fine. Faites cuire 1 à 2 minutes jusqu'à ce qu'elle soit ferme.

Faites glisser l'omelette sur une assiette et roulez-la comme une crêpe. Laissez refroidir.

Coupez l'omelette roulée en tranches de 5 mm ou de 1 cm en biais, à votre convenance. Servez-les telles quelles, ou bien déroulées et empilées, garnies de lamelles de ciboule si vous le souhaitez.

Pour une omelette au piment et au basilic thaï, supprimez l'échalote, la ciboule, le piment rouge long et les feuilles de coriandre. Mélangez les œufs avec la sauce soja claire et le poivre blanc. Faites brunir légèrement 2 gousses d'ail émincées dans une poêle, ajoutez 2 petits piments rouges émincés et 1 poignée de feuilles de basilic thaï frais hachées, puis laissez revenir 1 minute. Ajoutez la préparation aux œufs dans la poêle et faites brunir l'omelette des deux côtés. Servez avec du riz ou en accompagnement.

galettes de poisson

Pour **20 à 25 galettes
(ou 8 grosses)**
Préparation **20 minutes**
Cuisson **30 minutes**

500 g de **filets de poisson**
hachés, sans la peau
(lotte, cabillaud, haddock,
saumon ou maquereau)
1 c. à s. de **pâte de curry
rouge** (voir page 94)
2 c. à s. de **farine à levure
incorporée**
½ c. à c. de **sel de mer**
50 g de **haricots verts**
finement coupés
3 **feuilles de kaffir**
finement ciselées
1 gros **œuf** légèrement battu
huile de tournesol
pour la cuisson

Mélangez le poisson haché, la pâte de curry, la farine,
le sel, les haricots verts, les feuilles de kaffir et l'œuf
dans un récipient.

Faites chauffer un peu d'huile dans une poêle
antiadhésive. En vous servant de vos mains mouillées
ou d'une cuillère, formez 20 à 25 petites galettes
fines et plates de 2,5 cm de diamètre. Faites-les
revenir doucement, en plusieurs fois, 4 à 5 minutes
de chaque côté (ou 6 à 8 minutes de chaque côté
pour des grosses galettes), en ajoutant un peu d'huile
dans la poêle si nécessaire. Égouttez-les sur du papier
absorbant.

Servez chaud ou tiède avec de la sauce douce
au piment (voir page 36).

Pour des galettes de crabe, remplacez le poisson
par 500 g de chair de crabe cuite (égouttez-la
si vous utilisez du crabe en conserve). La pâte de curry
rouge apporte un goût piquant. Supprimez-la si vous
préférez une saveur plus douce.

salade de papaye verte

Pour **1 personne**
Préparation **10 minutes**

1 gousse d'**ail**
25 g de **cacahuètes** grillées
125 g de **papaye verte**
   détaillée en lamelles
25 g de **haricots verts**
   coupés en tronçons
   de 2,5 cm
1 c. à c. de **crevettes
   séchées** moulues
1 petit **piment oiseau rouge**
1 c. à s. de **miel** liquide
½ c. à s. de **sauce
   de poisson**
le **jus** et le **zeste**
   de ½ **citron vert**
2 **tomates cerises**

À l'aide d'un pilon en bois et d'un mortier en argile,
pilez l'ail, puis ajoutez les cacahuètes et écrasez-
les grossièrement avec l'ail. Ajoutez la papaye, pilez
délicatement en raclant les côtés avec une cuillère
puis mélangez bien.

Ajoutez les haricots verts et les crevettes séchées
moulues, et continuez à piler doucement et à tourner.
Ajoutez le piment, le miel et la sauce de poisson, puis
le jus et le zeste de citron vert dans la préparation.
Continuez à piler encore 1 minute.

Ajoutez ensuite les tomates cerises et pilez délicatement
pendant 1 minute, en veillant à ce que le jus n'éclabousse
pas. Goûtez et ajustez l'assaisonnement, qui doit être
à la fois aigre et sucré, avec une touche piquante.

Répartissez la salade de papaye et le jus sur
une assiette de service.

**Pour une salade de légumes au piment et au citron
vert,** remplacez la papaye et les haricots verts par
150 g de carottes et de chou finement râpés.
Ajoutez 1 cuillerée à soupe de sucre de noix de coco,
de palme ou de miel. Les végétariens peuvent supprimer
les crevettes moulues et utiliser de la sauce soja claire
à la place de la sauce de poisson ; vous obtiendrez
cependant un résultat légèrement plus sombre.

œufs durs frits aux échalotes

Pour **4 personnes**
Préparation **10 minutes**
Cuisson **40 minutes**

6 gros **œufs**
huile de tournesol
   pour la friture
2 **piments rouges séchés**
   d'environ 12 cm, coupés
   en morceaux de 1 cm
   et épépinés
125 g d'**échalotes**
   coupées en fines rondelles
1 ½ ou 2 c. à s. de **sauce**
   de poisson
4 c. à s. de **jus de tamarin**
   (voir page 90) ou 2 c. à s.
   de **jus de citron vert**
150 g de **sucre de noix**
   de coco, **de palme**
   ou **roux**, ou 10 c. à s.
   de **miel** liquide

Faites bouillir les œufs dans une casserole remplie d'eau, baissez le feu et laissez mijoter 8 à 10 minutes. Égouttez-les, cassez légèrement les coquilles, passez-les sous l'eau froide, puis écalez les œufs.

Faites chauffer environ 7 cm d'huile dans un wok à feu moyen. Pour savoir si l'huile est prête, plongez-y une tranche d'échalote : elle doit grésiller. Faites frire les piments quelques secondes pour en faire ressortir la saveur. Égouttez-les sur du papier absorbant.

Faites frire les échalotes 6 à 8 minutes. Sortez-les puis égouttez-les. Plongez doucement les œufs, un par un, dans la même huile chaude et faites-les frire 6 à 10 minutes. Sortez-les puis égouttez-les.

Retirez l'huile du wok et ajoutez la sauce de poisson, le jus de tamarin ou le jus de citron vert et le sucre, et remuez pendant 5 à 6 minutes jusqu'à ce que le sucre soit dissous. Goûtez et ajustez l'assaisonnement.

Coupez les œufs en deux dans le sens de la longueur et disposez-les avec le jaune vers le haut dans un saladier de service. Versez la sauce dessus et parsemez d'échalotes et de piments frits.

Pour des œufs sur le plat aux échalotes et piments frits, faites cuire des œufs crus un par un dans une poêle antiadhésive avec un peu d'huile. Arrosez l'œuf d'huile pendant la cuisson et faites cuire 3 à 4 minutes. Disposez un œuf sur chaque assiette et ajoutez la sauce, les échalotes et les piments, comme ci-dessus.

nouilles de riz frites

Pour **6 à 8 personnes**
Préparation **15 minutes**
Cuisson **30 minutes**

150 g de **crevettes** crues
75 g de **vermicelles de riz**
huile de tournesol
pour la friture
200 g de **tofu ferme**
coupé en allumettes
75 g d'**échalotes**
finement tranchées
2 c. à s. de **sauce**
de poisson
2 c. à s. de **jus d'ail mariné**
ou d'**eau**
1 c. à s. de **jus de citron**
2 c. à s. de **ketchup**
125 g de **sucre en poudre**
75 g de **sucre de noix**
de coco, de palme
ou **roux**, ou 6 c. à s.
de **miel** liquide
¼ de c. à c. de **poudre**
de piment
3 petites **têtes d'ail**
marinées, finement coupées
2 **jaunes d'œufs salés**
non cuits
125 g de **pousses de soja**

Pour décorer
quelques rondelles
de **ciboule**
quelques lamelles
de **piment rouge**

Préparez les crevettes (voir page 13). Mettez les vermicelles de riz dans un sac en plastique et cassez-les en morceaux de 5-7 cm.

Faites chauffer 7 cm d'huile dans un wok à feu moyen. Plongez 1 poignée de nouilles dans l'huile. Retournez-les une fois puis sortez-les dès qu'elles gonflent et prennent une couleur ivoire (cela ne prend que quelques secondes). Égouttez-les sur du papier absorbant, puis faites frire le reste des nouilles. Faites frire le tofu dans la même huile 7 à 10 minutes puis égouttez-le. Faites frire les échalotes puis égouttez-les. Faites frire les crevettes 1 à 2 minutes jusqu'à ce qu'elles soient roses. Égouttez-les.

Retirez l'huile du wok. Ajoutez la sauce de poisson, le jus d'ail mariné ou l'eau, le jus de citron, le ketchup et les deux types de sucre (ou le sucre et le miel). Remuez 4 à 5 minutes à feu doux jusqu'à épaississement. Incorporez la poudre de piment.

Ajoutez la moitié des nouilles de riz et mélangez avec la sauce, puis le reste des nouilles, le tofu, les têtes d'ail marinées, les crevettes et les échalotes, en remuant 1 à 2 minutes pour enrober le tout. Servez avec les jaunes d'œufs salés émiettés dessus et les pousses de soja. Garnissez de ciboule et de piment.

Pour préparer des œufs salés, faites dissoudre 200 g de sel de mer dans 600 ml d'eau bouillante. Laissez refroidir. Placez des œufs de canard propres dans un bocal, sans en casser les coquilles. Ajoutez l'eau salée froide, scellez et laissez reposer 3 semaines.

wontons à la vapeur

Pour **16 wontons**
Préparation **15 minutes**
Cuisson **30 minutes**

16 **feuilles de wontons**
   de 7 cm de côté
un peu d'**huile de tournesol**

Garniture
6 **crevettes** crues
125 g de **porc** haché
40 g d'**oignon** haché
2 gousses d'**ail**
5 **châtaignes d'eau**
1 c. à c. de **sucre de palme**
   ou **muscovado** clair
1 c. à s. de **sauce soja** claire
1 **œuf**

Pour la garniture, préparez les crevettes (voir page 13) puis mixez tous les ingrédients dans un mixeur ou un robot.

Disposez 1 cuillerée à café bombée de garniture au centre d'une feuille de wonton, placée sur votre pouce et votre index en formant un cercle. Tout en enfonçant le wonton garni dans le cercle formé par vos doigts, resserrez le haut, mais en le laissant ouvert. Répétez l'opération avec le reste des feuilles de wonton et de garniture.

Mettez les wontons garnis sur une assiette, puis placez-la dans un cuit-vapeur. Arrosez les wontons d'un peu d'huile, couvrez puis faites cuire 30 minutes à la vapeur.

Servez les wontons chauds ou tièdes avec une sauce dip, par exemple une sauce douce au piment.

Pour préparer une sauce douce au piment, à servir en accompagnement, équeutez et épépinez 3 piments rouges d'environ 12 cm, puis hachez-les grossièrement. À l'aide d'un pilon et d'un mortier ou d'un petit mixeur, pilez ou mixez jusqu'à l'obtention d'une pâte épaisse. Dans une petite casserole, faites bouillir à feu moyen 50 ml de vinaigre blanc (environ 3 cuillerées à soupe), 50 g de sucre (environ 3 cuillerées à soupe) et ½ cuillerée à café de sel de mer, pendant 6 à 7 minutes, jusqu'à l'obtention d'un sirop épais. Incorporez la pâte de piment dans le sirop. Faites cuire 2 à 3 minutes, versez dans un récipient de service puis parsemez de quelques feuilles de coriandre.

poulet en feuilles de pandanus

Pour **25 paniers**
Préparation **40 minutes**
 + marinade
Cuisson **30 minutes**

4 ou 5 gousses d'**ail**
 grossièrement hachées
5 **racines et tiges
 de coriandre**
 grossièrement hachées
750 g de **filets de poulet**
 sans la peau, coupés
 en 20 morceaux
¼ de c. à c. de **poivre
 blanc** moulu
¼ de c. à c. de **sel de mer**
2 c. à s. de **sauce d'huître**
1 ½ c. à s. d'**huile
 de sésame**
1 c. à s. de **farine**
25 **feuilles de pandanus**,
 lavées et séchées
huile de tournesol
 pour la friture

À l'aide d'un pilon et d'un mortier ou d'un petit mixeur, pilez ou mixez l'ail, les racines et les tiges de coriandre jusqu'à l'obtention d'une pâte.

Mélangez les filets de poulet avec la pâte d'ail, le poivre blanc, le sel, la sauce d'huître, l'huile de sésame et la farine. Couvrez et laissez mariner au réfrigérateur au moins 3 heures ou toute une nuit.

Pliez l'une des feuilles de pandanus en ramenant une extrémité vers l'autre en formant un creux au milieu. Placez-y un morceau de poulet, puis enroulez la base de la feuille autour pour envelopper le poulet. Répétez l'opération jusqu'à ce qu'il ne reste plus de garniture.

Faites chauffer 7 cm d'huile dans un wok à feu moyen. Pour savoir si l'huile est prête, plongez-y un petit morceau de feuille de pandanus : il doit grésiller immédiatement. Faites frire environ 8 à 10 « paniers » à la fois, pendant 10 à 12 minutes, jusqu'à ce qu'ils soient fermes et que le poulet soit bien cuit. Égouttez-les sur du papier absorbant. Servez chaud ou tiède avec un condiment au concombre (voir page 40).

Pour des brochettes de poulet grillées, supprimez les feuilles de pandanus. Ajoutez 2 poivrons rouges, épépinés et coupés en 20 morceaux. Enfilez le poulet mariné et les poivrons – en alternant – sur 6 à 8 brochettes en bambou de 18-20 cm (préalablement trempées dans de l'eau pendant 30 minutes). Faites cuire les brochettes de poulet au barbecue ou sur un gril en fonte pendant 8 à 10 minutes, en les retournant fréquemment.

beignets de maïs

Pour **8 beignets**
Préparation **12 minutes**
Cuisson **5 à 6 minutes**
  pour chaque friture

475 g de **maïs doux
  en grains**, en conserve
3 gousses d'**ail** coupées
  en deux
1 **racine de coriandre**
  hachée
1 petit **piment rouge
  ou vert** grossièrement
  haché
1 **ciboule** finement hachée
75 g de **farine de riz**
  ou de **farine**
1 c. à c. de **sel**
1 c. à c. de **poivre
  noir** moulu
environ 750 ml d'**huile
  de tournesol** pour la friture

Égouttez le maïs doux puis ajoutez de l'eau au liquide pour obtenir 50 ml. Mettez les grains de maïs dans un récipient et réservez le liquide.

Mixez brièvement l'ail, la racine de coriandre et le piment dans un mixeur ou un robot.

Ajoutez la préparation obtenue dans le récipient contenant le maïs, ainsi que la ciboule, la farine, le liquide mesuré, le sel et le poivre. Mélangez soigneusement jusqu'à l'obtention d'une consistance épaisse.

Faites chauffer l'huile pour la friture dans un wok et plongez-y 1 cuillerée à soupe de préparation à la fois. Faites cuire 5 à 6 minutes jusqu'à l'obtention de beignets dorés, puis égouttez-les sur du papier absorbant. Répétez l'opération jusqu'à ce que tous les beignets soient prêts, puis disposez-les sur un plat.

Servez chaud avec de la sauce douce au piment (voir page 36).

Pour préparer un condiment au concombre, à servir en accompagnement, mélangez 3 cuillerées à soupe de vinaigre de riz avec 1 cuillerée à soupe de miel liquide ou de sucre et ¼ de cuillerée à café de sel de mer. Coupez un morceau de concombre de 7 cm en quatre puis en fines tranches. Épluchez et coupez finement 1 petite carotte et 1 échalote. Équeutez le piment rouge long, puis épépinez-le et coupez-le finement. Mélangez tous les légumes avec la préparation au vinaigre de riz dans un récipient. Laissez-les s'imprégner pendant 30 minutes avant de servir.

salade de pomélos

Pour **2 personnes**
Préparation **8 minutes**

½ **pomélo**
  ou 1 **pamplemousse**
4 **échalotes** coupées
  en rondelles
½ c. à c. de **piments
  séchés**, écrasés
1 c. à c. de **sucre**
1 c. à s. de **sauce
  de poisson**
  ou de **sauce soja** claire
1 ½ ou 2 c. à s. de **jus
  de citron vert** ou de citron

Découpez un chapeau d'environ 2 cm (en gros, l'épaisseur de la peau) sur le haut du pomélo ou du pamplemousse, puis faites six incisions profondes du haut vers le bas, en divisant la peau en six segments. Épluchez la peau de chaque morceau. Enlevez les éventuelles peaux blanches restantes et séparez les segments du fruit. Coupez chaque segment en deux.

Placez tous les ingrédients dans un saladier et mélangez bien avant de servir.

Pour une salade de pomélos au poulet, mélangez tous les ingrédients avec 200 g de poulet cuit découpé en longues lamelles et 1 cuillerée à soupe de noix de coco râpée et grillée. Parsemez la salade d'une poignée de feuilles de coriandre fraîche avant de servir.

vermicelles aux crevettes

Pour **4 personnes**
Préparation **20 à 25 minutes**
Cuisson **10 minutes**

200 g de **crevettes** crues,
   assez grosses
125 g de **vermicelles de soja**
1 poignée de **champignons
   séchés** blancs ou noirs
1 ½ c. à s. d'**huile de tournesol**
2 ou 3 gousses d'**ail** émincées
3 c. à s. de **jus de citron vert**
1 c. à s. de **sauce soja** claire
2 tiges de **citronnelle**
   de 12 cm, coupées
   en petits morceaux
3 ou 4 **échalotes**
   coupées en fines rondelles
1 ou 2 petits **piments
   oiseaux rouges**,
   finement hachés
3 **ciboules** coupées
   en fines rondelles
2 poignées de **mesclun**

Pour décorer
feuilles de **coriandre**
quelques lamelles
   de **piment rouge**

Préparez les crevettes (voir page 13). Faites tremper les vermicelles dans de l'eau bouillante 4 à 5 minutes. Égouttez-les puis coupez-les en morceaux.

Faites tremper les champignons dans de l'eau bouillante pendant 4 à 5 minutes, puis égouttez-les. Enlevez les pieds fibreux et hachez grossièrement les champignons.

Faites chauffer l'huile dans un wok et faites-y dorer l'ail à feu moyen pendant 1 à 2 minutes. Transvasez-le dans un petit récipient.

Faites cuire les crevettes avec le jus de citron vert et la sauce soja à feu moyen 2 à 3 minutes jusqu'à ce qu'elles s'ouvrent et deviennent roses. Ajoutez les vermicelles et les champignons et poursuivez la cuisson 2 à 3 minutes. Retirez du feu, ajoutez la citronnelle, les échalotes, les piments, les ciboules et l'huile à l'ail, puis mélangez. Goûtez et ajustez l'assaisonnement.

Disposez un peu de mesclun sur chaque assiette. Ajoutez les vermicelles aux crevettes à côté et garnissez de feuilles de coriandre et de lamelles de piment.

Pour préparer des vermicelles végétariens,

remplacez les crevettes par 200 g de pleurotes, coupés en deux s'ils sont gros, ou bien 75 g de protéines de soja texturées émincées. Faites tremper les protéines dans de l'eau chaude 6 à 7 minutes, égouttez-les puis essorez-les. Faites cuire les champignons ou les protéines avec le jus de citron vert et la sauce soja comme indiqué ci-dessus, avant d'ajouter le reste des ingrédients.

salade façon nord-thaïlandaise

Pour **4 personnes**
Préparation **10 minutes**
+ trempage
Cuisson **8 à 10 minutes**

250 g de **vermicelles
de soja**
2 c. à s. d'**huile
de tournesol**
4 gousses d'**ail** écrasées
175 g de **porc haché**
2 c. à c. de **sucre** en poudre
125 g de **crevettes**
cuites, décortiquées
2 **échalotes** coupées
en fines rondelles
2 c. à s. de **sauce
de poisson**
1 c. à s. de **jus
de citron vert**
2 petits **piments rouges**
finement hachés
2 petits **piments verts**
finement hachés
3 c. à s. de **cacahuètes**
grillées, hachées
+ quelques-unes pour servir
2 c. à s. de feuilles
de **coriandre** ciselées

Pour décorer
2 **ciboules** coupées
en rondelles, en biais
1 gros **piment rouge**
coupé en rondelles, en biais
feuilles de **coriandre**

Faites tremper les vermicelles dans de l'eau tiède
6 à 7 minutes. Égouttez-les bien puis raccourcissez-en
la longueur avec des ciseaux.

Faites chauffer l'huile dans une poêle et faites-y brunir
légèrement l'ail. Ajoutez la viande de porc hachée,
en l'émiettant jusqu'à ce qu'elle soit cuite. Ajoutez
1 cuillerée à café de sucre et mélangez bien.

Retirez du feu et incorporez les vermicelles,
les crevettes, les échalotes, la sauce de poisson,
le jus de citron vert, le reste du sucre, les piments
rouges et verts, les cacahuètes et la coriandre.

Dressez la préparation sur les assiettes et garnissez
de ciboule, de piment rouge, de feuilles de coriandre
et de cacahuètes grillées et hachées.

**Pour une salade façon nord-thaïlandaise aux
champignons,** remplacez le porc haché par 200 g
d'un mélange de pleurotes et de shiitake, sans les
pieds fibreux, coupés en deux s'ils sont gros, ainsi que
25 g de champignons noirs séchés. Faites tremper
les champignons noirs dans de l'eau bouillante 4 à
5 minutes, puis égouttez-les. Ôtez et jetez les pieds
fibreux. Ajoutez les champignons dans la poêle après
avoir fait brunir l'ail. Faites revenir 3 à 4 minutes
jusqu'à ce qu'ils soient cuits et légèrement séchés.
Poursuivez la recette comme indiqué ci-dessus.

salade de poisson à la citronnelle

Pour **4 personnes**
Préparation **20 minutes**
Cuisson **20 minutes**

1 c. à s. d'**huile de tournesol**
625 g de **maquereau**
  ou de **merlan**, vidé et
  incisé avec un couteau
  tranchant à trois ou
  à quatre endroits
¼ de c. à c. de **sel de mer**
¼ de c. à c. de **poivre noir**
  moulu
3 tiges de **citronnelle**
  de 15 cm, coupées
  en petits morceaux
4 ou 5 **échalotes**
  coupées en fines rondelles
3 **ciboules** coupées
  en fines rondelles
2,5 cm de racine
  de **gingembre** frais,
  épluchée et finement râpée
3 ou 4 **feuilles**
  de kaffir finement ciselées
½ poignée de feuilles
  de **menthe**
2 ½ c. à s. de **sauce soja** claire
4 c. à s. de **jus de citron vert**
1 ou 1 ½ **piment rouge** long,
  équeuté, épépiné
  et finement haché
mesclun pour servir

Tapissez une plaque de four de papier d'aluminium puis badigeonnez-la d'un peu d'huile. Frottez le poisson avec l'huile, le sel et le poivre puis placez-le sur la plaque.

Faites cuire dans un four préchauffé à 180 °C, sans couvrir, pendant 15 à 20 minutes. Ôtez la tête (si besoin est) et toutes les arêtes. Détaillez le poisson, y compris la peau, en petits morceaux de la taille d'une bouchée puis mettez-les dans un saladier.

Mélangez avec la citronnelle, les échalotes, les ciboules, le gingembre, les feuilles de kaffir, les feuilles de menthe, la sauce soja, le jus de citron vert et le piment. Goûtez et ajustez l'assaisonnement. Répartissez dans 4 assiettes avec un peu de mesclun.

Pour une salade de thon à la citronnelle, remplacez le poisson entier par 500 g de steak de thon très frais (qualité sushi) et supprimez l'huile de tournesol, le sel, les feuilles de kaffir et les feuilles de menthe. Faites refroidir le thon au réfrigérateur 2 à 3 heures, puis détaillez-le en petits dés. Mélangez-les avec le poivre, la citronnelle, les échalotes, les ciboules, le gingembre, la sauce soja, le piment et 2 cuillerées à soupe de jus de citron vert. Aucune cuisson n'est nécessaire.

canard aux noix de cajou

Pour **4 personnes**
Préparation **15 minutes**
  + repos
Cuisson **20 minutes**

2 **magrets de canard**,
  légèrement incisés trois
  ou quatre fois avec
  un couteau tranchant
½ c. à s. d'**huile de tournesol**
1 c. à c. d'**huile de sésame**
½ c. à c. de **cinq-épices**
⅛ de c. à c. de **sel de mer**
⅛ de c. à c. de **poivre**
  noir moulu
150 g de petites **mangues**
  vertes ou 1 **pomme verte**
1 morceau de **concombre**
  de 10 cm, coupé en deux
  puis en fines tranches
2 **tomates** coupées
  en morceaux
2 **échalotes** coupées
  en fines rondelles
2,5 cm de racine
  de **gingembre** frais,
  épluchée et finement râpée
2 ½ c. à s. de **sauce soja** claire
2 c. à s. de **jus de citron vert**
2 petits **piments oiseaux**
  rouges finement hachés
50 g de **noix de cajou** grillées
mesclun pour servir

Frottez les magrets de canard avec les deux huiles, le cinq-épices, le sel et le poivre. Disposez-les dans un wok froid, peau vers le bas, puis faites chauffer lentement à feu moyen-doux jusqu'à ce que la graisse blanche fonde et devienne délicieusement croustillante et dorée. Faites cuire 10 à 12 minutes, puis retournez les magrets et faites cuire 5 minutes de plus. Laissez reposer 5 minutes avant de les découper en tranches.

Épluchez et râpez finement les mangues ou la pomme, puis mélangez immédiatement (pour éviter l'oxydation) avec les tranches de canard, le concombre, les tomates, les échalotes, le gingembre, la sauce soja, le jus de citron vert, les piments et les noix de cajou. Goûtez et ajustez l'assaisonnement.

Disposez un peu de salade verte sur chaque assiette. Dressez le canard et les noix de cajou dessus et servez en guise de salade, d'accompagnement ou d'entrée.

Pour du tofu croustillant aux noix de cajou,

remplacez le canard par 300 g de tofu ferme. Coupez le tofu en morceaux de 2,5 cm, égouttez-le puis saupoudrez-le de cinq-épices, de sel et de poivre. Faites-le revenir à la poêle en plusieurs fois jusqu'à ce qu'il soit croustillant de tous les côtés, en ajoutant de l'huile si nécessaire. Poursuivez comme indiqué ci-dessus.

bœuf à la sauce aigre-piquante

Pour **4 personnes**
Préparation **5 minutes**
  + repos
Cuisson **8 à 10 minutes**

375 g de **bœuf** maigre
  (rumsteck, faux-filet ou filet)
½ c. à c. de **sel de mer**
½ c. à c. de **poivre noir**
  moulu
1 ½ c. à s. de **sauce
  de poisson**
4 c. à s. de **jus de citron vert**
3 ou 4 **échalotes** coupées
  en fines rondelles
3 **ciboules** coupées
  en fines rondelles
½ poignée de feuilles
  de **coriandre**
  grossièrement ciselées
¼ à ½ c. à c. de **poudre
  de piment**, à votre goût
mesclun pour servir

Pour décorer
feuilles de **menthe**
  ou de **coriandre**
quelques lamelles
  de **piment rouge**

Saupoudrez les deux côtés du morceau de bœuf de
sel et de poivre. Faites-le griller ou cuire au barbecue
3 à 4 minutes de chaque côté (selon l'épaisseur), en
le retournant de temps en temps. La graisse devrait
suinter ; faites cuire la viande assez doucement pour
qu'elle reste juteuse et ne brûle pas. Vous pouvez faire
cuire le morceau de bœuf à la poêle si vous préférez.
Laissez reposer 4 à 5 minutes avant de le découper
en fines tranches.

Mélangez les tranches de bœuf avec la sauce
de poisson, le jus de citron vert, les échalotes,
les ciboules, la coriandre et la poudre de piment.
Goûtez et ajustez l'assaisonnement.

Dressez sur les assiettes, disposez un peu de salade
dessus et garnissez de quelques feuilles de menthe
ou de coriandre et de lamelles de piment.

Pour une salade de viande épicée aux noix de cajou,
vous pouvez utiliser du bœuf ou de l'agneau. Une fois
que la viande est cuite et découpée, comme indiqué
ci-dessus, mélangez-la avec les autres ingrédients,
en ajoutant 2 tiges de citronnelle émincées et 50 g
de noix de cajou grillées, grossièrement hachées.
Dressez sur la salade verte et placez un quartier
de citron ou de citron vert sur chaque assiette.

salade de calamars

Pour **4 personnes**
Préparation **15 minutes**
Cuisson **10 minutes**

500 g de corps de **calamars**
1 c. à s. de graines
  de **sésame blanc**
6 **tomates cerises**
  coupées en deux
2 **échalotes** coupées
  en fines rondelles
2,5 cm de racine
  de **gingembre** frais,
  épluchée et finement râpée
2 ou 3 **ciboules** coupées
  en fines rondelles
2 ou 3 petits **piments
oiseaux rouges**
  finement hachés
3 gousses d'**ail** émincées
4 c. à s. de **jus de citron vert**
2 c. à s. de **sauce de poisson**

Pour servir
 poignée de feuilles
  de **coriandre**
2 poignées de **mesclun**

Préparez les calamars (voir page 12).

Faites griller les graines de sésame à sec dans une poêle antiadhésive à feu moyen, pendant 3 à 4 minutes, en remuant la poêle : les graines doivent être légèrement brunies. Transvasez-les dans un petit récipient.

Portez à ébullition de l'eau dans une casserole. Ajoutez les calamars et faites-les cuire 2 à 3 minutes, puis égouttez-les (si vous faites cuire un gros calamar trop longtemps, la chair deviendra dure). Vous pouvez conserver le liquide et l'utiliser ultérieurement pour un bouillon.

Mélangez les calamars, les tomates cerises, les échalotes, le gingembre, les ciboules, les piments et l'ail avec le jus de citron vert et la sauce de poisson. Goûtez et ajustez l'assaisonnement.

Mélangez les feuilles de coriandre et de salade et mettez-en un peu sur chaque assiette. Disposez la préparation aux calamars sur la salade et parsemez de graines de sésame.

Pour une salade de champignons grillés, remplacez les calamars par 300 g de champignons variés. Coupez les champignons les plus gros en deux et faites-les cuire dans de l'eau bouillante 2 à 3 minutes. Égouttez-les bien puis mélangez les champignons cuits avec les ingrédients, comme indiqué ci-dessus, en ajoutant 2 cuillerées à soupe de sauce soja claire.

salade d'aubergines et de crevettes

Pour **4 personnes**
Préparation **20 minutes**
Cuisson **40 minutes**

500 g d'**aubergines longues**
  violettes ou vertes
1 **poivron rouge**
125 g de **crevettes** crues,
  moyennes à grosses
50 g de petites **mangues**
  vertes ou 1 **pomme verte**
3 ou 4 **échalotes**
  coupées en fines rondelles
40 g de **crevettes**
  séchées, moulues
4 ½ c. à s. de **jus**
  de citron vert
1 ½ c. à s. de **sauce**
  de poisson
1 **piment rouge long**
  équeuté, épépiné et coupé
  en fines lamelles
125 ml de **lait de coco**
¼ de c. à c. de **farine**

Piquez les aubergines avec une fourchette. Faites griller ou cuire au barbecue les aubergines et le poivron à température moyenne-basse 30 à 35 minutes en les retournant (le poivron va cuire plus vite). Laissez refroidir.

Préparez les crevettes (voir page 13). Faites bouillir de l'eau dans une petite casserole, puis faites cuire les crevettes 2 à 3 minutes ou jusqu'à ce qu'elles s'ouvrent et deviennent roses. Égouttez-les (conservez le liquide pour un bouillon).

Épluchez les aubergines et coupez-les en morceaux de 2,5 cm. Épluchez et épépinez le poivron et coupez-le en fines lanières. Mettez les légumes et les crevettes dans un récipient.

Épluchez et râpez finement les mangues ou la pomme puis mélangez immédiatement (pour éviter l'oxydation) avec les aubergines, le poivron, les crevettes, les échalotes, la moitié des crevettes séchées, moulues, le jus de citron vert, la sauce de poisson et le piment. Goûtez et ajustez l'assaisonnement. Laissez reposer 10 minutes.

Mélangez le lait de coco et la farine dans une petite casserole jusqu'à homogénéité. Faites chauffer à feu moyen 2 à 3 minutes en remuant pour épaissir le mélange. Dressez la préparation aux aubergines sur une assiette de service. Arrosez de lait de coco et saupoudrez du reste des crevettes moulues.

salade de mangue verte aux crevettes

Pour **4 personnes**
Préparation **10 minutes**
Cuisson **4 minutes**

175 g de **crevettes**
  crues moyennes
250 g de **mangues vertes**
  (environ 3 petites mangues)
  ou 2 **pommes vertes**
3 ou 4 **échalotes** coupées
  en fines rondelles
1 ou 2 **piments oiseaux
  rouges** finement hachés
½ c. à s. de **sauce
  de poisson**
25 g de **crevettes
  séchées**, moulues
25 g de **cacahuètes**
  grillées
quelques lamelles
  de **piment rouge**
  pour décorer

Préparez les crevettes (voir page 13).

Portez de l'eau à ébullition dans une petite casserole.
Faites-y cuire les crevettes 3 à 4 minutes jusqu'à
ce qu'elles s'ouvrent et deviennent roses. Égouttez
(vous pouvez conserver le liquide pour un bouillon).

Épluchez et râpez finement les mangues ou les
pommes puis mélangez-les immédiatement (pour éviter
l'oxydation) avec les crevettes, les échalotes, les piments,
la sauce de poisson, les crevettes séchées moulues et
les cacahuètes. Goûtez et ajustez l'assaisonnement.

Dressez sur une assiette et garnissez de lamelles
de piment. Voilà une salade légère à servir idéalement
par des journées chaudes d'été.

Pour une salade de mangue verte aux fruits de mer,
remplacez les crevettes par 175 g de mélange de fruits
de mer. Préparez les fruits de mer s'ils sont frais
(voir page 13) ou décongelez-les doucement dans
le réfrigérateur s'ils sont surgelés pour préserver leur
texture et leur saveur. Faites cuire les fruits de mer
et mélangez-les avec les autres ingrédients comme
indiqué ci-dessus. Pour une version végétarienne,
vous pouvez les remplacer par 175 g de champignons
de Paris coupés en deux ou des dés d'aubergine.

salade de champignons aigre-piquante

Pour **4 personnes**
Préparation **15 minutes**
Cuisson **10 minutes**

2 ½ c. à s. de **jus
de citron vert**
1 c. à s. de **sauce soja** claire
1 c. à c. de **sucre** en poudre
1 c. à s. de **graines
de sésame** noir et blanc
300 g de mélange
de **champignons**
(pleurotes, shiitake et
champignons de Paris),
sans les pieds fibreux,
coupés en quatre s'ils
sont gros et laissés entiers
s'ils sont petits
2 **échalotes** coupées
en fines rondelles
1 ou 2 petits **piments
oiseaux rouges**
finement hachés
mesclun pour servir

Mélangez le jus de citron vert, la sauce soja
et le sucre puis remuez pour dissoudre le sucre.

Faites griller les graines de sésame à sec dans
une poêle antiadhésive à feu moyen 3 à 4 minutes
en remuant la poêle : les graines blanches doivent
être légèrement brunies et sauter. Transvasez-les
dans un petit récipient.

Portez de l'eau à ébullition dans une casserole.
Baissez le feu sur moyen, ajoutez les champignons
et faites-les cuire 4 à 5 minutes. Égouttez-les bien,
placez-les dans un récipient avec les échalotes,
les piments et la sauce au citron vert puis mélangez
délicatement. Goûtez et ajustez l'assaisonnement.

Disposez la préparation sur quelques feuilles de salade
et parsemez de graines de sésame.

Pour une salade de pois carrés aigre-piquante,

remplacez le mélange de champignons par 250 g
de pois carrés (ou de haricots kilomètre) et 4 tomates
cerises. Coupez finement les haricots en biais, faites-
les blanchir à l'eau bouillante, égouttez-les, puis
plongez-les dans de l'eau froide pendant 1 minute
et égouttez-les de nouveau. Coupez les tomates en
deux. Mélangez les haricots et les tomates comme
indiqué ci-dessus. Versez 2 cuillerées à soupe de lait
de coco légèrement salé sur la salade et parsemez
de graines de sésame et 50 g de cacahuètes salées,
grossièrement hachées, avant de servir.

soupe au melon amer et aux crevettes

Pour **4 personnes**
Préparation **30 minutes**
Cuisson **20 à 25 minutes**

4 **shiitake** frais ou séchés,
  grossièrement coupés
2 ou 3 gousses d'**ail**
  grossièrement hachées
3 ou 4 **racines et tiges**
  de coriandre
  grossièrement hachées
250 g de **crevettes**
  crues, hachées
1 c. à s. de **fécule de maïs**
¼ de c. à c. de **sel de mer**
¼ de c. à c. de **poivre**
  blanc moulu
400 g de **melon amer**
  coupé en anneaux
  de 2,5 cm et épépiné
8 **crevettes** crues
  moyennes à grosses
1,2 litre de **bouillon**
  de légumes
20 **baies de Goji**
  séchées (facultatif)
2 ½ c. à s. de **sauce soja**
  claire
1 c. à s. de **radis mariné**

Pour décorer
quelques rondelles de **ciboule**
feuilles de **coriandre**

Faites tremper les champignons séchés dans de l'eau bouillante 8 à 10 minutes. Coupez les pieds et jetez-les, puis égouttez-les. À l'aide d'un pilon et d'un mortier, pilez l'ail, les racines et les tiges de coriandre jusqu'à l'obtention d'une pâte. Mélangez les crevettes hachées avec la pâte d'ail, la fécule de maïs, le sel et le poivre.

Fourrez les anneaux de melon avec la préparation aux crevettes (ne les remplissez pas trop, sinon ils éclateront pendant la cuisson). Transpercez-les avec un pic en bois : cela permettra à la garniture de rester à l'intérieur de l'anneau. Répétez l'opération avec le reste de melon amer et de garniture.

Préparez les crevettes entières (voir page 13).

Portez à ébullition le bouillon de légumes, les baies de Goji (si vous en utilisez), la sauce soja et le radis mariné dans une casserole. Baissez le feu sur doux et ajoutez le melon fourré et les champignons. Faites cuire 10 à 12 minutes. Ajoutez les crevettes crues, 3 à 4 minutes avant la fin de la cuisson. Goûtez et ajustez l'assaisonnement. Vous pouvez laisser les pics sur les anneaux de melon ou bien les retirer. Dressez dans des bols et garnissez de ciboule et de coriandre.

Pour préparer une soupe au concombre et au poulet, remplacez le melon amer par 400 g de concombre, épépiné et coupé en anneaux. Fourrez le concombre avec 375 g de poulet haché (ajoutez la viande restante dans la soupe lorsque vous ajoutez les crevettes entières). Continuez en suivant les indications ci-dessus.

soupe aux vermicelles de soja

Pour **2 personnes**
Préparation **30 minutes**
  + trempage
Cuisson **6 minutes**

3 ou 4 **shiitake** séchés
50 g de **feuilles
  de tofu** séchées
25 g de **fleurs de lis**
  séchées, égouttées,
  ou de **pousses de
  bambou** en conserve,
  égouttées et émincées
125 de **vermicelles de soja**
  trempés puis égouttés
600 ml de **bouillon
  de légumes**
1 ½ à 2 c. à s. de **sauce
  soja** claire
feuilles de céleri
  hachées pour décorer

Faites tremper les shiitake 10 minutes dans 300 ml d'eau bouillante. Égouttez-les puis essorez-les bien. Passez le liquide au tamis fin au-dessus d'un récipient, puis réservez-le. Ôtez puis jetez les pieds fibreux et coupez les champignons en fines tranches.

Faites tremper les feuilles de tofu dans de l'eau bouillante 6 à 8 minutes, égouttez-les puis déchirez-les en morceaux. Faites tremper les fleurs de lis dans de l'eau bouillante 8 à 10 minutes, puis égouttez-les. Faites tremper les vermicelles dans de l'eau bouillante 1 à 2 minutes, puis égouttez-les.

Portez à ébullition le bouillon de légumes et le liquide de trempage des champignons réservé dans une casserole. Ajoutez la sauce soja, le tofu, les fleurs de lis et les champignons puis laissez cuire 2 à 3 minutes. Ajoutez les vermicelles et poursuivez la cuisson 2 à 3 minutes, en remuant. Goûtez et ajustez l'assaisonnement.

Dressez dans un saladier et garnissez de feuilles de céleri hachées.

soupe de coco au galanga et au poulet

Pour **4 personnes**
Préparation **10 minutes**
Cuisson **15 minutes**

400 ml de **lait de coco**
  en conserve
2 tiges de **citronnelle**
  de 12 cm, écrasées
  et coupées en biais
5 cm de **galanga** légèrement
  gratté et émincé
2 **échalotes** coupées
  en deux
10 **grains de poivre noir**
  concassés
425 g de **filets de poulet**
  sans la peau, émincés
2 c. à s. de **sauce de poisson**
25 g de **sucre de noix
  de coco, de palme**
  ou **roux**, ou 2 c. à s.
  de **miel** liquide
150 g de mélange de
  champignons (pleurotes,
  shiitake et champignons
  de Paris)
3 c. à s. de **jus de citron vert**
2 ou 3 **feuilles de kaffir**
  déchirées en deux
2 ou 3 petits **piments
  oiseaux rouges**
  légèrement écrasés
4 **tomates cerises**,
  avec le pédoncule si possible
feuilles de **coriandre**
  pour décorer

Mettez le lait de coco, la citronnelle, le galanga, les échalotes et les grains de poivre dans une casserole à feu moyen puis portez à ébullition.

Ajoutez le poulet, la sauce de poisson et le sucre ou le miel puis laissez frémir en remuant constamment pendant 4 à 5 minutes jusqu'à ce que le poulet soit cuit.

Coupez les champignons en deux s'ils sont gros et jetez les pieds fibreux, puis ajoutez-les dans la casserole et laissez cuire à frémissement 2 à 3 minutes de plus. Ajoutez le jus de citron vert, les feuilles de kaffir et les piments. Goûtez et ajustez l'assaisonnement (ce plat n'est pas fait pour être très épicé. Sa saveur doit être à la fois douce, salée et aigre). Ajoutez les tomates cerises dans les dernières secondes de la cuisson, en veillant à ce qu'elles conservent leur forme.

Versez dans des bols et garnissez de quelques feuilles de coriandre.

Pour une soupe à la noix de coco, au galanga et aux patates douces, remplacez le poulet par 425 g de patates douces. Faites bouillir les patates douces 8 à 10 minutes. Ajoutez 2 ½ cuillerées à soupe de sauce soja claire une fois que la préparation au lait de coco bout. Incorporez les champignons et faites cuire 2 à 3 minutes. Ajoutez les patates douces cuites et réchauffez 2 à 3 minutes. Finissez comme indiqué ci-dessus.

soupe de vermicelles et poulet haché

Pour **4 personnes**
Préparation **10 minutes**
Cuisson **15 minutes**

50 g de **vermicelles de soja**
 poignée de **champignons
 noirs** séchés
2 c. à s. d'**huile
 de tournesol**
3 ou 4 gousses d'**ail** émincées
500 g de **poulet haché**
20 feuilles de **coriandre**
 finement ciselées
¼ de c. à c. de **sel de mer**
¼ de c. à c. de **poivre
 blanc** moulu
1,2 litre de **bouillon
 de légumes** ou **de poulet**
2 c. à s. de **sauce soja** claire
1 c. à s. de **radis** mariné

Pour décorer
1 ou 2 **ciboules** coupées
 en tronçons de 2,5 cm
feuilles de **coriandre**

Faites tremper les vermicelles dans de l'eau bouillante
4 à 5 minutes. Égouttez-les puis coupez-les pour
en raccourcir la taille. Faites tremper les champignons
noirs dans de l'eau bouillante 4 à 5 minutes, puis
égouttez-les. Jetez les pieds fibreux et hachez
finement les champignons.

Faites chauffer l'huile dans un petit wok et faites-y
légèrement brunir l'ail à feu moyen 1 à 2 minutes.
Transvasez-le dans un petit récipient.

Mélangez le poulet avec la coriandre, le sel et le poivre.

Portez à ébullition dans une casserole le bouillon de
légumes, la sauce soja et le radis mariné. Baissez le feu
sur moyen et, à l'aide d'une cuillère ou de vos doigts
humides, formez des petites boulettes d'environ 1 cm
de diamètre avec la préparation au poulet. Placez-les
dans le bouillon puis faites cuire 3 à 4 minutes. Ajoutez
les vermicelles et les champignons noirs et poursuivez
la cuisson 2 à 3 minutes, en remuant fréquemment.
Goûtez et ajustez l'assaisonnement.

Versez dans des bols, garnissez de ciboules
et de coriandre, et arrosez d'huile à l'ail.

Pour une soupe de vermicelles et poisson haché,
remplacez le poulet haché par 500 g de poisson haché.
Mélangez le poisson avec 1 ½ cuillerée à soupe
de farine pour que vous puissiez façonner des boulettes.
Préparez et faites cuire comme indiqué ci-dessus, puis
servez immédiatement.

soupe de wontons au lait de coco

Pour **4 personnes**
Préparation **30 minutes**
Cuisson **25 à 30 minutes**

375 g de **poulet haché**
3 ou 4 gousses d'**ail** émincées
6 **racines et tiges**
   de coriandre, dont
   3 finement hachées
¼ de c. à c. de **poivre**
   blanc moulu
40 **feuilles de wonton**
   de 7 cm de côté
400 ml de **lait de coco**
   en conserve
350 ml de **bouillon**
   de légumes ou **de poulet**
3 tiges de **citronnelle**
   de 12 cm, pilées
   et coupées en biais
2,5 cm de **galanga**
   légèrement gratté et émincé
4 **échalotes** coupées
   en deux
150 g de **champignons**
   de Paris nettoyés
2 ou 3 petits **piments**
   légèrement écrasés
2 à 2 ½ c. à s. de **sauce**
   de poisson
4 ou 5 c. à s. de **jus**
   de citron vert
8 **tomates cerises**
feuilles d'**épinards**
   pour servir

Mélangez le poulet, l'ail, la coriandre hachée et le poivre. Disposez 1 cuillerée à café de la préparation obtenue au milieu de chaque feuille de wonton. Humectez les bords avec de l'eau et rassemblez-les en pressant les coins ensemble pour former un petit chausson. Disposez sur un plateau et répétez l'opération.

Faites cuire les wontons dans de l'eau bouillante 2 à 3 minutes jusqu'à ce qu'ils flottent. Sortez-les avec une écumoire et plongez-les dans de l'eau froide.

Portez à ébullition le lait de coco, le bouillon, la citronnelle, le galanga, le reste de coriandre et les échalotes dans une casserole. Ajoutez les champignons et les piments puis faites cuire 3 à 4 minutes. Incorporez la sauce de poisson et le jus de citron vert. Goûtez et ajustez l'assaisonnement.

Égouttez les wontons cuits puis mettez-les dans la casserole avec le bouillon. Ajoutez les tomates cerises dans les dernières secondes, en veillant à ce qu'elles conservent leur forme.

Placez une poignée de feuilles d'épinards dans chaque bol. Répartissez la soupe aigre-piquante et les wontons dans les bols.

soupe aigre aux légumes

Pour **4 personnes**
Préparation **20 minutes**
Cuisson **15 minutes**

350 g de **légumes variés**
(asperges, courgettes,
champignons, mini épis
de maïs doux, haricots
verts et pois mange-tout)
900 ml de **bouillon
de légumes**
2 ou 3 c. à s. de **pâte
de curry aigre**
20 **baies de Goji**
séchées (facultatif)
175 g de **liseron d'eau**
coupé en tronçons de
5 cm et lavé, feuilles
séparées
2 à 2 ½ c. à s. de **sauce
soja** claire
½ à 1 c. à c. de **sucre
de palme, de noix de
coco** ou **roux**, ou de **miel**
4 ou 5 c. à s. de **jus
de tamarin** (voir page 90),
ou 3 à 3 ½ c. à s. de **jus
de citron vert** ou de citron

Coupez les asperges en tronçons de 5 cm. Émincez les courgettes et les champignons et coupez les mini épis de maïs en deux dans le sens de la longueur. Équeutez les haricots verts et les pois mange-tout puis coupez-les en biais.

Faites chauffer le bouillon de légumes avec la pâte de curry aigre et les baies de Goji (si vous en utilisez) dans une casserole à feu moyen puis portez à ébullition. Ajoutez les tronçons d'asperges, les courgettes et les champignons puis faites cuire 3 à 4 minutes. Ajoutez les pointes d'asperges, les mini épis de maïs doux, les haricots verts, les pois mange-tout, les tiges de liseron d'eau, la sauce soja claire, le sucre ou le miel et le jus de tamarin ou le jus de citron vert puis poursuivez la cuisson 3 à 4 minutes.

Ajoutez les feuilles de liseron d'eau et faites cuire environ 1 minute de plus, en remuant doucement de temps en temps. Goûtez et ajustez l'assaisonnement, avec un peu de sauce soja claire, de sucre et de jus de tamarin, de jus de citron ou de citron vert si nécessaire. Versez dans 4 bols et servez en accompagnement.

Pour préparer une pâte de curry aigre, pilez ou mixez 3 ou 4 piments rouges frais hachés, 2,5 cm de galanga gratté et émincé, 4 gousses d'ail hachées, 3 échalotes hachées et ¼ de cuillerée à café de cinq-épices jusqu'à la formation d'une pâte.

viandes

porc à la sauce aigre-douce

Pour **4 personnes**
Préparation **10 minutes**
Cuisson **30 minutes**

125 g de **farine**
  à levure incorporée
1 c. à c. de **levure chimique**
¼ de c. à c. de **sel de mer**
150 ml d'**eau**
150 g de tranches d'**ananas**
  au sirop léger en conserve
2 c. à s. de **bouillon**
  de légumes ou d'eau
½ c. à s. de **fécule de maïs**
2 c. à s. de **ketchup**
1 c. à s. de **sauce de poisson**
40 g de **sucre en poudre**
  ou **roux**, ou 3 c. à s.
  de **miel** liquide
huile de tournesol
  pour la friture
275 g de **filets de porc**
  coupés en fines tranches
2 ou 3 gousses d'**ail** émincées
1 **carotte** en allumettes
1 **oignon rouge** coupé
  en fines rondelles
1 **poivron rouge** épépiné
  et coupé en morceaux
5 cm de **concombre**
  coupé en deux dans le sens
  de la longueur puis en fines
  tranches
1 **tomate** coupée en quartiers
feuilles de **coriandre**

Mélangez la farine, la levure et le sel dans un récipient. Ajoutez l'eau et remuez jusqu'à l'obtention d'une pâte. Mélangez 6 cuillerées à soupe du sirop d'ananas avec le bouillon ou l'eau, la fécule de maïs, le ketchup, la sauce de poisson, le sucre ou le miel dans un petit récipient.

Faites chauffer 7 cm d'huile dans un wok à feu moyen. Enrobez la moitié des tranches de porc de pâte puis plongez-les une par une dans l'huile. Faites frire 4 à 5 minutes. Égouttez sur du papier absorbant. Répétez l'opération avec le reste du porc.

Videz la plupart de l'huile du wok en y laissant 1 ½ cuillerée à soupe. Faites-y dorer l'ail à feu moyen 1 à 2 minutes. Ajoutez la carotte, l'oignon et le poivron et faites revenir 3 à 4 minutes. Ajoutez le concombre, les tranches d'ananas, la tomate et la sauce au sirop d'ananas. Faites cuire 1 à 2 minutes en remuant. Goûtez et ajustez l'assaisonnement. Remettez le porc dans la poêle et mélangez-le avec la sauce.

Dressez sur 4 assiettes chaudes et garnissez de coriandre.

Pour des légumes à l'aigre-douce, remplacez le porc par 275 g de légumes (mini épis de maïs doux, champignons, haricots verts équeutés, carottes détaillées en allumettes, poivrons doux coupés en morceaux et rondelles de courgettes). Remplacez la sauce de poisson par 1 ½ cuillerée à soupe de sauce soja claire. Enrobez les légumes de pâte et faites-les frire, puis arrosez-les de sauce aigre-douce.

poulet aux légumes

Pour **4 personnes**
(avec 2 autres plats principaux)
Préparation **10 minutes**
Cuisson **6 à 10 minutes**

325 g de **légumes variés** :
mini épis de maïs doux,
haricots verts, asperges
et carottes
1 ½ c. à s. d'**huile de tournesol**
3 ou 4 gousses d'**ail**
émincées
325 g de **filets de poulet**
sans la peau, détaillés
en dés
4 c. à s. de **bouillon de poulet**, de **bouillon de légumes** ou d'**eau**
2,5 cm de racine de
gingembre frais, épluchée
et finement coupée
2 c. à s. de **sauce d'huître**
1 ½ à 2 c. à s. de **sauce soja** claire
2 **ciboules** coupées
en fines rondelles
feuilles de **coriandre**
pour décorer

Préparez les légumes. Coupez les mini épis de maïs doux et les haricots verts en deux. Coupez le bout des asperges et détaillez chaque tige en tronçons de 5 cm. Détaillez les carottes en allumettes.

Faites blanchir tous les légumes dans de l'eau bouillante 1 à 2 minutes, puis placez-les dans un récipient rempli d'eau froide. Égouttez-les.

Faites chauffer l'huile dans un wok ou une grande poêle et faites-y légèrement brunir l'ail à feu moyen. **Ajoutez** le poulet et faites revenir 3 à 5 minutes. Ajoutez les légumes, le bouillon ou l'eau, le gingembre, la sauce d'huître et la sauce soja claire puis faites revenir 2 à 3 minutes. Incorporez les ciboules.

Dressez sur un plat de service, garnissez de feuilles de coriandre et servez immédiatement.

Pour préparer un bouillon de légumes, mettez 2,5 litres d'eau froide, 1 épi de maïs doux lavé, tige coupée, 2 carottes grossièrement coupées, 2 branches de céleri grossièrement coupées, 1 oignon sans la peau extérieure et la racine, détaillé en quartiers, 200 g de chou frisé ou de brocoli, 2,5 cm de racine de gingembre frais finement coupée, 3 ou 4 plants de coriandre entiers, lavés, racines légèrement écrasées, 30 baies de Goji séchées (facultatif) et 10 grains de poivre concassés dans une casserole. Portez à ébullition à feu moyen. Baissez le feu sur doux et laissez mijoter 45 à 60 minutes. Remuez et écumez de temps en temps. Passez le bouillon au tamis.

canard sauté au brocoli

Pour **4 personnes**
Préparation **20 minutes**
Cuisson **20 minutes**

275 g de bouquets
de **brocoli**
1 c. à s. de graines
de **sésame blanc**
1 ½ à 2 c. à s. d'**huile
de tournesol**
2 ou 3 gousses d'**ail**
émincées
1 **oignon** coupé
en fines rondelles
1 **poivron rouge** épépiné
et détaillé en morceaux
de la taille d'une bouchée
500 g de **filets de canard**
sans la peau, coupés
en fines tranches
2,5 cm de racine
de **gingembre** frais,
épluchée et finement
râpée
2 c. à s. de **bouillon
de légumes** ou d'**eau**
2 c. à s. de **sauce soja**
claire
1 ½ c. à s. de **sauce d'huître**

Faites blanchir les bouquets de brocoli dans de l'eau
bouillante 1 minute. Transvasez-les dans un récipient
rempli d'eau froide ou passez-les sous l'eau courante
pour qu'ils restent croquants.

Faites griller les graines de sésame à sec dans une
poêle antiadhésive à feu moyen, pendant 3 à 4 minutes,
en remuant la poêle : les graines doivent être légèrement
brunies et sauter. Transvasez-les dans un petit récipient.

Faites chauffer l'huile dans un wok ou une grande
poêle. Faites-y revenir l'ail, l'oignon et le poivron
rouge à feu moyen 1 à 2 minutes jusqu'à ce que l'ail
brunisse légèrement. Ajoutez le brocoli, le canard, le
gingembre, le bouillon de légumes ou l'eau, la sauce
soja et la sauce d'huître puis faites cuire en remuant
3 à 4 minutes jusqu'à ce que le canard soit cuit à votre
convenance. Goûtez et ajustez l'assaisonnement.

Dressez sur des assiettes chaudes et parsemez
de graines de sésame. Servez avec du riz bouilli
ou disposez sur des nouilles cuites.

Pour du canard sauté aux châtaignes d'eau,

remplacez le brocoli par 125 g de châtaignes d'eau
coupées en deux et 1 carotte détaillée en fines
rondelles. Après avoir fait brunir l'ail, ajoutez l'oignon,
le poivron rouge, la carotte et les châtaignes d'eau,
puis faites revenir 4 à 5 minutes. Ajoutez le canard, le
gingembre, le bouillon, la sauce soja, la sauce d'huître
et 2 ou 3 cuillerées à soupe de sauce douce au piment
(voir page 36). Faites revenir le tout 3 à 4 minutes,
goûtez puis ajustez l'assaisonnement.

porc aux œufs salés

Pour **2 personnes**
Préparation **20 minutes**
Cuisson **9 minutes**

2 **œufs salés** (voir page 34),
   durs, écalés et coupés
   en deux
1 ½ c. à s. d'**huile**
   de tournesol
1 gousse d'**ail** hachée
75 g de **porc haché**
200 g de **pousses de soja**
4 c. à s. de **bouillon**
   de légumes
1 c. à s. de **sauce d'huître**
1 c. à s. de **sauce soja** claire
2 gros **piments rouges**
   coupés en rondelles,
   en biais
1 **ciboule** coupée
   en rondelles, en biais
feuilles de **coriandre**
   pour décorer

Laissez refroidir les œufs durs salés. Faites chauffer l'huile dans un wok et faites-y légèrement brunir l'ail 1 à 2 minutes. Ajoutez la viande de porc et faites-la revenir 2 à 3 minutes jusqu'à ce qu'elle s'émiette. Incorporez les pousses de soja, le bouillon de légumes, la sauce d'huître et la sauce soja claire, puis faites cuire en remuant 3 à 4 minutes.

Ajoutez les piments, la ciboule et les œufs salés puis mélangez légèrement.

Dressez dans des bols et garnissez de feuilles de coriandre. Servez en accompagnement.

Pour du porc sauté aux œufs salés et aux nouilles, faites cuire 300 g de nouilles de riz en triangles *(kua chap)* ou 175 g de petites nouilles de riz séchées dans de l'eau bouillante, puis égouttez-les. Les nouilles de riz doivent cuire 2 à 3 minutes, et les petites nouilles 8 à 10 minutes. Faites légèrement brunir 2 ou 3 gousses d'ail émincées et faites revenir le porc. Ajoutez les pousses de soja, faites revenir 2 à 3 minutes puis incorporez les nouilles, le bouillon de légumes, 2 cuillerées à soupe de sauce d'huître, 1 ½ cuillerée à soupe de sauce soja claire et le reste des ingrédients. Parsemez de 50 g de noix de cajou salées grossièrement hachées.

curry rouge de bœuf

Pour **4 personnes**
Préparation **15 minutes**
Cuisson **10 à 15 minutes**

1 ½ c. à s. d'**huile
de tournesol**
2 ou 3 c. à s. de **pâte
de curry rouge**
(voir page 94)
500 g de **filet de bœuf**
coupé en fines tranches
200 g d'**aubergines thaïes**
coupées en quartiers
400 ml de **lait de coco**
en conserve
50 ml de **bouillon de bœuf**,
de **bouillon de légumes**
ou d'**eau**
2 ½ c. à s. de **sauce
de poisson**
25 g de **sucre de noix
de coco**, de **palme**
ou **roux**, ou 2 c. à s.
de **miel** liquide
2 **tomates** coupées en deux
2 ou 3 **feuilles de kaffir**
déchirées en deux

Pour décorer
feuilles de **coriandre**
quelques lamelles
de **piment rouge**

Faites chauffer l'huile dans un wok ou une casserole
et faites revenir la pâte de curry à feu moyen
3 à 4 minutes jusqu'à ce qu'elle soit odorante.

Ajoutez le bœuf et faites-le revenir 4 à 5 minutes.
Incorporez les aubergines, le lait de coco, le bouillon,
la sauce de poisson, le sucre ou le miel et faites cuire
4 à 5 minutes jusqu'à ce que les aubergines soient
tendres, en remuant de temps en temps. Goûtez
et ajustez l'assaisonnement. Ajoutez les tomates
et les feuilles de kaffir dans les dernières secondes.

Dressez dans 4 bols et garnissez de feuilles
de coriandre et de lamelles de piment.

Pour un curry rouge de légumes, remplacez la viande
par 500 g de légumes variés (par exemple, asperges,
haricots verts, mini épis de maïs doux et courgettes).
Une fois que la pâte de curry est odorante, ajoutez le lait
de coco, le bouillon de légumes, 2 ½ cuillerées à soupe
de sauce soja claire à la place de la sauce de poisson,
le sucre ou le miel et les aubergines thaïes puis faites
cuire pendant 3 à 4 minutes. Incorporez les légumes
et poursuivez la cuisson 3 à 4 minutes. Finissez avec
les tomates et les feuilles de kaffir et décorez comme
ci-dessus.

bœuf épicé

Pour **4 personnes**
(avec 3 autres plats
principaux)
Préparation **10 minutes**
+ repos
Cuisson **10 à 14 minutes**

375 g de **rumsteck**,
de **faux-filet** ou de **filet**
1 tige de **citronnelle**
de 12 cm (partie blanche
uniquement), coupée
en petits morceaux
3 **échalotes** coupées
en fines rondelles
5 **feuilles de kaffir**
émincées
4 c. à s. de **jus de citron**
1 ½ c. à s. de **sauce
de poisson**
1 c. à s. de **farine de riz**
3 ou 4 petits **piments
rouges** ou **verts**, finement
hachés, ou ½ à 1 c. à c.
de **poudre de piment**
2 c. à s. de feuilles
de **menthe** grossièrement
hachées
mesclun pour servir

Préchauffez le barbecue ou le gril à température
moyenne (si vous utilisez un gril, tapissez la plaque de
papier d'aluminium). Posez le bœuf sur le gril et faites
cuire 5 à 7 minutes de chaque côté, en retournant de
temps en temps. Laissez reposer la viande au moins
5 minutes, puis coupez-la en tranches en biais.

Mélangez le bœuf, la citronnelle, les échalotes, les
feuilles de kaffir, le jus de citron, la sauce de poisson,
la farine de riz, les piments ou la poudre de piment
et les feuilles de menthe dans un récipient.

Disposez quelques feuilles de salade sur des assiettes
et dressez les tranches de bœuf par-dessus. Servez
immédiatement.

Pour du bœuf épicé aux nouilles, faites cuire
375 g de petites nouilles de riz séchées, d'environ
2,5 mm de largeur, dans de l'eau bouillante pendant
8 à 10 minutes, ou en suivant les instructions de
l'emballage. Égouttez-les, puis mélangez-les avec
1 cuillerée à café de sauce de poisson et 1 cm de
gingembre râpé. Répartissez dans 4 bols et disposez
sur les tranches de viande. Servez avec des quartiers
de citron et un mélange de salade.

curry jaune de poulet

Pour **4 personnes**
Préparation **15 minutes**
Cuisson **10 à 13 minutes**

1 ½ c. à s. d'**huile
de tournesol**
2 ou 3 c. à s. de **pâte
de curry jaune**
500 g de **filets de poulet**
sans la peau, coupés
en fines tranches
400 ml de **lait de coco**
en conserve
50 ml de **bouillon
de légumes**, de **bouillon
de poulet** ou d'eau
2 ½ c. à s. de **sauce
de poisson**
25 g de **sucre de palme,
de noix de coco** ou **roux,**
ou 2 c. à s. de **miel** liquide
150 g d'**ananas** ou
de tranches d'ananas au
sirop léger en conserve,
égouttées et coupées
chacune en 5 morceaux
4 **tomates cerises,** avec
le péconcule si possible
2 ou 3 **feuilles de kaffir**
déchirées en deux
feuilles de **coriandre**
pour décorer

Faites chauffer l'huile dans un wok ou une casserole.
Faites revenir la pâte de curry jaune à feu moyen
3 à 4 minutes jusqu'à ce qu'elle soit odorante.

Ajoutez le poulet et faites-le revenir 4 à 5 minutes.
Incorporez le lait de coco, le bouillon ou l'eau, la sauce
de poisson, le sucre ou le miel et l'ananas puis faites
cuire à frémissements 3 à 4 minutes à feu moyen,
en remuant de temps en temps. Goûtez et ajustez
l'assaisonnement. Ajoutez les tomates et les feuilles
de kaffir dans les dernières secondes de cuisson, en
veillant à ce que les tomates conservent leur forme.

Dressez dans 4 bols et garnissez de feuilles
de coriandre.

Pour préparer une pâte de curry jaune, équeutez,
épépinez et hachez grossièrement 3 ou 4 piments
rouges longs séchés, faites-les tremper dans de l'eau
chaude 3 à 4 minutes, puis égouttez-les. (Si vous
utilisez des piments frais, ne les faites pas tremper.)
Pilez-les ou mixez-les avec 1 tige de citronnelle de
12 cm, finement coupée, 2,5 cm de galanga gratté
et émincé, 4 gousses d'ail hachées, 3 échalotes
hachées, 3 ou 4 racines et tiges de coriandre hachées,
3 feuilles de kaffir ciselées, 1 cuillerée à café de pâte
de crevettes, 1 cuillerée à café de cumin moulu et
1 cuillerée à soupe de curry jaune en poudre jusqu'à
la formation d'une pâte. Supprimez la pâte de crevette
pour une version végétarienne. Avec la quantité de pâte
de curry obtenue, vous pouvez préparer des currys
pour 4 personnes.

poulet à la pâte de piment frit

Pour **4 personnes**
Préparation **20 minutes**
Cuisson **20 à 25 minutes**

1 c. à s. d'**huile
de tournesol**
375 g de **filets de poulet**
sans la peau, coupés en dés
1 à 1 ½ c. à s. de **sauce
de poisson**
2 c. à s. de **bouillon
de poulet**
½ c. à c. de **sucre**
125 g de **noix de cajou**
grillées

**Pâte de piment frit
huile de tournesol**
3 ou 4 gros **piments rouges**
hachés
6 gousses d'**ail** émincées
4 **échalotes** coupées
en fines rondelles
1 ½ à 2 c. à s.
de **jus de tamarin**
½ à 1 c. à s. de **sauce
de poisson**
25 g de **sucre roux**
ou de **miel**
1 c. à s. de **crevettes
séchées** moulues (facultatif)

Pour décorer
lamelles de **piment rouge**
brins de **basilic thaï**

Préparez la pâte de piment frit. Faites chauffer 5 cm d'huile dans une casserole à feu moyen. Faites frire les piments quelques secondes pour en faire ressortir la saveur. Transvasez dans un robot ou un mixeur. Faites dorer l'ail 3 à 4 minutes, puis ajoutez-le dans le robot avec les piments. Faites frire les échalotes 6 à 8 minutes, puis mixez-les avec les piments et l'ail.

Mettez la pâte obtenue dans une casserole avec 1 ½ cuillerée à soupe de l'huile utilisée pour la friture. Ajoutez le jus de tamarin, la sauce de poisson, le sucre ou le miel et les crevettes séchées moulues, puis faites revenir 1 à 2 minutes jusqu'à ce que le sucre soit dissous.

Faites chauffer l'huile avec 2 cuillerées à soupe de la pâte de piment frit dans un wok, et faites revenir le poulet 4 à 5 minutes. Ajoutez la sauce de poisson, le bouillon de poulet, le sucre et les noix de cajou et faites revenir 2 minutes de plus. Goûtez et ajustez l'assaisonnement en ajoutant plus de pâte de piment si vous le souhaitez.

Dressez sur des assiettes et garnissez de lamelles de piment et de quelques brins de basilic.

Pour préparer du jus de tamarin, faites tremper 50 g de pâte de tamarin (environ 2 cuillerées à soupe) dans 200 ml d'eau bouillante pendant 4 à 5 minutes. Écrasez avec une cuillère ou une fourchette pour l'aider à se dissoudre, puis passez le liquide épais au tamis au-dessus d'un petit récipient et réservez les fibres dans un autre (utilisez-les si vous avez à nouveau besoin de passer le jus au tamis).

poulet vapeur au curry

Pour **4 personnes**
Préparation **30 minutes**
Cuisson **15 à 20 minutes**

2 ou 3 c. à s. de **pâte
de curry rouge**
(voir page 94)
300 g de **filets de poulet**
sans la peau,
coupés en fines tranches
400 ml de **lait de coco**
en conserve
(réservez-en 4 c. à s.)
2 gros **œufs**
2 ½ c. à s. de **sauce
de poisson**
1 poignée de feuilles
de **basilic thaï**, de feuilles
d'**épinards** ou de **chou**
râpé
½ c. à c. de **farine**

Pour décorer
2 **feuilles de kaffir**
finement ciselées
quelques lamelles
de **piment rouge**

Remplissez à moitié un wok ou un cuit-vapeur d'eau, couvrez et portez à ébullition à feu moyen.

Mélangez la pâte de curry, le poulet, le lait de coco, les œufs et la sauce de poisson. Placez quelques feuilles de basilic ou d'épinards ou du chou râpé au fond de 4 bols. Remplissez-les aux trois quarts avec la préparation au poulet. Placez les bols dans un panier vapeur en bambou ou sur une grille dans le wok. Couvrez et faites cuire à la vapeur 15 à 20 minutes.

Pendant ce temps, mélangez la farine et le restant de lait de coco réservé dans une petite casserole jusqu'à homogénéité. Remuez et faites cuire à feu moyen pendant 2 à 3 minutes pour épaissir le mélange. Versez-en un peu sur le poulet vapeur.

Parsemez de feuilles de kaffir et de lamelles de piment.

Pour un poisson vapeur au curry et à la spiruline,

remplacez la pâte de curry rouge par 2 ou 3 cuillerées à soupe de pâte de curry verte (voir page 202) et le poulet par 300 g de poisson blanc haché (haddock, cabillaud ou colin par exemple). Mélangez la pâte de curry, le poisson, le lait de coco, les œufs, la sauce de poisson, 50 g de noix de cajou hachées et 1 cuillerée à soupe de spiruline. Remplissez 4 bols aux trois quarts avec la préparation obtenue. Recouvrez de feuilles de basilic et disposez une tranche d'œuf salé (voir page 34) au milieu. Faites cuire à la vapeur en suivant les indications ci-dessus, arrosez de lait de coco et parsemez de lamelles de piment.

poulet au curry et aux mini aubergines

Pour **4 personnes**
(avec 2 autres plats
principaux)
Préparation **5 minutes**
Cuisson **10 à 12 minutes**

1 ½ c. à s. d'**huile
de tournesol**
2 ou 3 c. à s. de **pâte
de curry rouge**
475 g de **filets de poulet**
sans la peau, coupés
en fines tranches
250 ml de **lait de coco**
en boîte, bien agité avant
ouverture
200 ml de **bouillon
de poulet**
200 g d'**aubergines thaïes**
2 ½ à 3 c. à s. de **sauce
de poisson**
25 g de **sucre de palme**
ou **de noix de coco**
5 **feuilles de kaffir**
déchirées en deux
feuilles de **basilic thaï**
pour décorer

Faites chauffer l'huile dans un wok ou une grande
poêle et faites revenir la pâte de curry à feu moyen
2 minutes jusqu'à ce qu'elle soit odorante.

Faites revenir le poulet dans le wok ou la poêle
2 à 3 minutes. Ajoutez le lait de coco, le bouillon de
poulet, les aubergines, la sauce de poisson, le sucre
et les feuilles de kaffir puis faites cuire 5 à 7 minutes.

Dressez dans des bols, garnissez de feuilles de basilic
thaï et servez immédiatement.

Pour préparer une pâte de curry rouge, équeutez,
épépinez et hachez grossièrement 3 ou 4 piments
rouges longs séchés, faites-les tremper dans de
l'eau chaude 3 à 4 minutes puis égouttez-les. Pilez
ou mixez-les avec 1 tige de citronnelle de 12 cm,
finement coupée, 2,5 cm de galanga gratté et émincé,
4 gousses d'ail hachées, 3 échalotes hachées, 3 ou
4 racines et tiges de coriandre hachées, 3 feuilles de
kaffir ciselées, 1 cuillerée à café de pâte de crevettes
et 1 cuillerée à café de coriandre moulue jusqu'à la
formation d'une pâte. Vous pouvez supprimer la pâte
de crevettes, pour une version végétarienne. Avec
la quantité de pâte de curry obtenue, vous pouvez
préparer des currys pour 4 personnes.

bœuf à la sauce aux haricots noirs

Pour **4 personnes**
Préparation **10 minutes**
Cuisson **8 à 11 minutes**

1 ½ à 2 c. à s. de **sauce
aux haricots noirs**,
grossièrement écrasés
100 ml de **bouillon
de bœuf**, de **bouillon
de légumes** ou d'**eau**
1 c. à s. de **sauce
de poisson**
2 c. à s. de **sauce d'huître**
½ c. à s. de **fécule de maïs**
1 ½ c. à s. d'**huile
de tournesol**
3 ou 4 gousses
d'**ail** émincées
500 g de **filet de bœuf**,
coupé en fines tranches
1 **poivron rouge**
ou **jaune**, épépiné et
coupé en morceaux
de la taille d'une bouchée
1 **oignon** coupé
en fines rondelles
2 ou 3 **ciboules** coupées
en tronçons de 2,5 cm
feuilles de **coriandre**
pour décorer

Mélangez la sauce aux haricots noirs, le bouillon ou l'eau, la sauce de poisson, la sauce d'huître et la fécule de maïs dans un petit récipient.

Faites chauffer l'huile dans un wok ou une grande poêle et faites-y légèrement brunir l'ail à feu moyen 1 à 2 minutes. Ajoutez le bœuf et faites-le revenir 4 à 5 minutes.

Ajoutez le poivron et l'oignon puis faites cuire en remuant 3 à 4 minutes. Incorporez la préparation aux haricots noirs et les ciboules. Goûtez et ajustez l'assaisonnement.

Dressez sur 4 assiettes chaudes et garnissez de feuilles de coriandre.

Pour des légumes à la sauce aux haricots noirs,
remplacez le bœuf par 500 g de légumes variés (par exemple, champignons, courgettes, radis blancs, carottes – détaillées en allumettes –, mini épis de maïs doux, haricots verts, feuilles de chou grossièrement hachées et pousses de soja). Utilisez du bouillon de légumes et remplacez les sauces de poisson et d'huître par 1 ½ cuillerée à soupe de sauce soja claire. Après avoir fait brunir l'ail, ajoutez les champignons, les courgettes, les radis et les carottes et faites revenir 3 à 4 minutes. Incorporez le maïs doux, les haricots verts, le chou et les pousses de soja, et faites cuire 3 à 4 minutes de plus. Poursuivez comme ci-dessus.

poulet thaï au barbecue

Pour **4 à 6 personnes**
Préparation **30 à 40 minutes**
+ marinade
Cuisson **10 à 40 minutes**

1 tige de **citronnelle**
de 12 cm, coupée
en petits morceaux
5 cm de **galanga** frais,
gratté et émincé
4 gousses d'**ail** écrasées
4 **échalotes** finement
hachées
4 **racines et tiges
de coriandre** finement
hachées
150 ml de **lait de coco**
1 ½ c. à s. de **sauce
de poisson**
1 c. à c. de **poivre** moulu
1,5 kg de **poulet
en crapaudine**, ou un
mélange de filets, de hauts
de cuisse et de pilons,
lavés et séchés
quartiers de citron vert
pour servir
fleurs de ciboulette
pour décorer

Pilez la citronnelle, le galanga, l'ail, les échalotes et la coriandre dans un mortier avec un pilon, ou servez-vous d'un robot pour mixer les ingrédients jusqu'à l'obtention d'une pâte. Ajoutez le lait de coco, la sauce de poisson et le poivre puis mélangez bien. Versez la préparation obtenue sur le poulet, couvrez et laissez mariner au moins 3 heures ou toute une nuit au réfrigérateur. Retournez le poulet de temps en temps.

Sortez le poulet de la marinade, placez-le sur un barbecue chaud et faites cuire 30 à 40 minutes pour un poulet en crapaudine ou 10 à 15 minutes pour des morceaux de poulet, en retournant régulièrement et en arrosant avec le reste de la marinade. Pour savoir si le poulet entier est cuit, piquez un des pilons avec une brochette : un jus clair doit s'écouler.

Laissez le poulet reposer 5 minutes, puis hachez-le en petits morceaux.

Servez avec de la sauce douce au piment (page 36), du riz gluant (page 220) et des quartiers de citron vert. Garnissez de fleurs de ciboulette et mangez avec les doigts.

Pour un poulet épicé façon sud-thaïlandaise,

ajoutez 3 piments rouges frais ou 3 ou 4 piments rouges longs séchés (environ 12 cm) et 2 cuillerées à café de curcuma moulu. Faites tremper les piments séchés dans de l'eau bouillante 4 à 5 minutes, puis égouttez-les. Pilez-les ou mixez-les avec le curcuma moulu et le reste des ingrédients. Faites mariner et griller comme indiqué ci-dessus, puis servez avec du riz gluant et des quartiers de citron vert.

poulet sauté aux noix de cajou

Pour **4 personnes**
Préparation **10 minutes**
Cuisson **environ 25 minutes**

5 c. à s. de **bouillon
de légumes** ou **de poulet**,
ou d'**eau**
1 ½ c. à s. de **sauce
de poisson**
2 c. à s. de **sauce d'huître**
½ c. à c. de **sucre**
1 c. à c. de **fécule de maïs**
75 g de **noix de cajou**
2 c. à s. d'**huile
de tournesol**
1 ou 2 **piments rouges
séchés** d'environ 12 cm,
hachés en morceaux
de 1 cm
2 ou 3 gousses d'**ail**
émincées
500 g de **filets de poulet**
sans la peau, coupés
en fines tranches
1 **carotte** détaillée
en allumettes
1 **poivron rouge**
ou **jaune**, épépiné
et coupé en morceaux
1 **oignon** coupé
en fines rondelles
2 ou 3 **ciboules** coupées
en tronçons de 2,5 cm
poivre noir moulu
feuilles de **coriandre**

Mélangez le bouillon ou l'eau avec la sauce de poisson, la sauce d'huître, le sucre et la fécule de maïs dans un petit récipient jusqu'à homogénéité.

Faites griller les noix de cajou à sec dans une poêle antiadhésive, 8 à 10 minutes à feu doux en remuant la poêle. Sortez-les de la poêle.

Faites chauffer 1 ½ cuillerée à soupe d'huile dans un wok et faites revenir les piments à feu moyen pendant quelques secondes. Ils doivent foncer mais pas noircir ni brûler. Égouttez-les sur du papier absorbant. Faites chauffer le reste de l'huile dans le wok, (ajoutez-en un peu si nécessaire) puis faites-y légèrement brunir l'ail pendant 1 à 2 minutes. Ajoutez le poulet et faites revenir 4 à 5 minutes. Ajoutez enfin la carotte, le poivron et l'oignon puis faites cuire en remuant 3 à 4 minutes.

Mélangez la sauce, versez-la dans le wok et faites revenir 1 minute de plus. Goûtez et ajustez l'assaisonnement. Ajoutez les noix de cajou, les piments et les ciboules. Parsemez de poivre noir moulu et mélangez bien.

Dressez sur des assiettes chaudes et garnissez de feuilles de coriandre.

bœuf grillé à la sauce piquante

Pour **1 personne**
Préparation **2 minutes**
Cuisson **6 minutes**
  (pour une viande entre
  saignante et à point)

300 g de **bifteck d'aloyau**

Sauce piquante
½ **tomate** finement hachée
¼ d'**oignon rouge**
  finement haché
½ à 1 c. à c. de **piments**
  séchés moulus
2 ½ c. à s. de **sauce**
  de poisson
2 c. à s. de **jus de citron**
  vert ou de **jus de tamarin**
  (voir page 90)
1 c. à c. de **sucre de palme**
  ou de **sucre muscovado**
  clair
1 c. à c. de **farine de riz**
1 c. à s. de **bouillon**
  de bœuf ou de **légumes**

Pour décorer
feuilles de **basilic thaï**
feuilles de **coriandre**
quelques lamelles
  de **piment rouge**

Placez la viande sous un gril préchauffé et faites-la cuire à votre goût, en la retournant une fois.

Pendant ce temps, mélangez tous les ingrédients de la sauce piquante dans un récipient.

Découpez le bifteck en tranches quand il est prêt, puis disposez-le sur un plat de service et garnissez de basilic, de coriandre et de piment. Servez la sauce à part.

Pour préparer du bœuf grillé au piment, mélangez les fines tranches de bifteck grillé avec 4 échalotes coupées en fines rondelles, 3 ciboules émincées, 2 cuillerées à soupe de sauce de poisson, 5 cuillerées à soupe de jus de citron ou de citron vert, ½ cuillerée à café de poivre noir moulu, ¼ à ½ cuillerée à café de poudre de piment et une petite poignée de feuilles de coriandre fraîche. Servez avec du mesclun.

poulet pimenté aux tomates

Pour **4 personnes**
Préparation **10 minutes**
Cuisson **environ 10 minutes**

1 ½ c. à s. d'**huile
de tournesol**
3 ou 4 gousses d'**ail**
émincées
1 ou 2 petits **piments
rouges** ou **verts**,
légèrement écrasés
500 g de **filets de poulet**
sans la peau, coupés
en fines tranches
1 **oignon rouge** coupé
en fines rondelles
4 c. à s. de **bouillon
de poulet**, de **bouillon
de légumes** ou d'**eau**
1 c. à s. de **sauce
de poisson**
3 c. à s. de **sauce d'huître**
2 **tomates** moyennes,
coupées en quartiers
1 poignée de feuilles
de **basilic thaï**

Faites chauffer l'huile dans un wok ou une grande
poêle. Faites légèrement brunir l'ail à feu moyen 1 à
2 minutes. Ajoutez les piments, le poulet, l'oignon,
le bouillon ou l'eau, la sauce de poisson et la sauce
d'huître. Faites revenir 4 à 5 minutes ou jusqu'à ce
que la viande soit cuite.

Ajoutez les feuilles de basilic et les tomates puis faites
revenir jusqu'à ce que le basilic commence à flétrir.
Goûtez et ajustez l'assaisonnement.

Dressez sur des assiettes.

Pour un poulet pimenté aux tomates et au chou,
ajoutez les piments, 375 g de poulet et l'oignon après
avoir fait brunir l'ail, et faites revenir 3 à 4 minutes.
Ajoutez 300 g de feuilles de jeunes choux grossièrement
hachées (sans les tiges) avec le reste des ingrédients
et faites cuire en remuant 4 à 5 minutes de plus, ou
jusqu'à ce que les feuilles soient tendres. Il sera peut-être
nécessaire d'ajouter un peu plus de sauce de poisson.

porc sauté au gingembre

Pour **4 personnes**
Préparation **20 minutes**
Cuisson **10 à 15 minutes**

1 poignée de **champignons noirs** séchés
1 ½ à 2 c. à s. d'**huile de tournesol**
2 ou 3 gousses d'**ail** émincées
500 g de **filets de porc** coupés en fines tranches
1 **oignon rouge** coupé en fines rondelles
150 g de **châtaignes d'eau** en conserve, égouttées et coupées en tranches
2,5 cm de racine de **gingembre** frais, épluchée et finement râpée
4 c. à s. de **bouillon de légumes** ou d'eau
1 c. à s. de **sauce de poisson**
1 c. à s. de **sauce d'huître**
2 **ciboules** coupées en tronçons de 2,5 cm

Pour décorer
poivre blanc moulu
feuilles de **coriandre**
quelques lamelles de **piment rouge**

Faites tremper les champignons séchés dans de l'eau bouillante 3 à 4 minutes, puis égouttez-les. Retirez et jetez les pieds fibreux et hachez grossièrement les champignons.

Faites chauffer l'huile dans un wok ou une grande poêle. Faites légèrement brunir l'ail à feu moyen 1 à 2 minutes. Ajoutez le porc et l'oignon puis faites revenir 4 à 5 minutes jusqu'à ce que le porc soit cuit.

Ajoutez les châtaignes d'eau, le gingembre, les champignons, le bouillon ou l'eau, la sauce de poisson, la sauce d'huître et les ciboules. Faites cuire en remuant 2 à 3 minutes de plus. Goûtez et ajustez l'assaisonnement.

Dressez sur des assiettes de service chaudes, saupoudrez de poivre et parsemez de feuilles de coriandre et de lamelles de piment.

Pour du porc épicé aux pousses de bambou,

faites chauffer l'huile avec 2 cuillerées à soupe de pâte de curry rouge (voir page 94) jusqu'à ce qu'elle soit odorante. Ajoutez le porc et faites revenir 4 à 5 minutes. Ajoutez 150 g de pousses de bambou en conserve émincées, 2 cuillerées à soupe de sauce de poisson, 2 cuillerées à soupe de sauce d'huître et 1 cuillerée à soupe de sucre de noix de coco ou de palme, puis ajustez l'assaisonnement à votre goût.

curry rouge de canard

Pour **3 ou 4 personnes**
Préparation **12 à 15 minutes**
Cuisson **9 minutes**

¼ de **canard rôti**
1 c. à s. d'**huile de tournesol**
1 ½ c. à s. de **pâte de curry rouge** (voir page 94)
150 ml de **lait de coco**
4 c. à s. de **bouillon de poulet**
1 c. à s. de **sucre de palme** ou de **vergeoise**
1 ½ à 2 c. à s. de **sauce de poisson**
3 **feuilles de kaffir** déchirées, ou ¼ de c. à c. de **zeste de citron vert** râpé
65 g de **petits pois** frais ou surgelés
2 **tomates** coupées en petits dés
125 g d'**ananas** frais ou en conserve, coupé en gros morceaux + un peu pour servir
nouilles pour servir

Pour décorer
lamelles de **piment rouge**
lamelles de **ciboule**

Enlevez la peau et la chair du canard, coupez-les en morceaux de la taille d'une bouchée puis mettez-les de côté.

Faites chauffer l'huile dans un wok, ajoutez la pâte de curry et faites revenir 2 minutes en remuant jusqu'à ce qu'elle soit odorante. Ajoutez le lait de coco, le bouillon, ½ cuillerée à soupe de sucre et 1 ½ cuillerée à soupe de sauce de poisson puis laissez mijoter 2 minutes.

Ajoutez le canard, les feuilles de kaffir, les petits pois, les tomates et l'ananas puis faites cuire 4 à 5 minutes de plus, en remuant de temps en temps. Goûtez et ajustez l'assaisonnement en utilisant le reste de sucre et de sauce de poisson si nécessaire.

Servez avec l'ananas en supplément et les nouilles, si vous le souhaitez, et garnissez de quelques lamelles de piment rouge et de ciboule.

Pour un curry rouge de crevettes et d'asperges,
remplacez le canard rôti, les petits pois et l'ananas par 300 g de crevettes moyennes crues. Préparez les crevettes (voir page 13) et coupez 150 g d'asperges en tronçons de 5 cm. Ajoutez les asperges une fois que la pâte de curry est odorante et faites revenir le tout 3 à 4 minutes. Ajoutez le lait de coco, le bouillon, le sucre, 1 ½ cuillerée à soupe de sauce de poisson, les crevettes et les asperges. Laissez mijoter 3 minutes de plus jusqu'à ce que les crevettes soient cuites à votre goût.

canard à la sauce citronnelle

Pour **4 à 6 personnes**
Préparation **30 à 40 minutes**
+ séchage et repos
Cuisson **2 à 3 heures**

2 kg de **canard**,
avec les abats
4 tiges de **citronnelle**
de 12 cm, écrasées
et grossièrement coupées
4 **ciboules** coupées en deux
3 ou 4 gousses d'**ail** coupées
en deux
15 **échalotes** coupées
en deux
1 c. à c. de **poivre
de la Jamaïque**
4 c. à s. de **sauce d'huître**
1,2 litre de **bouillon
de légumes**
2 **carottes**
grossièrement hachées
2,5 cm de racine de
gingembre frais, émincée
10 grains de **poivre
noir** concassés
1 ½ c. à s. de **farine**
1 à 1 ½ c. à s. de **sauce
soja** claire
1 ou 2 c. à s. de **sucre
de noix de coco**,
de **palme** ou **roux**

Pour décorer
rondelles de **concombre**
feuilles de **coriandre**

110

Lavez le canard, piquez-le avec une fourchette sur toute sa surface et laissez-le sécher 2 heures.

Mélangez la moitié de la citronnelle, la moitié des ciboules, l'ail, 6 moitiés d'échalotes et le poivre de la Jamaïque. Farcissez le canard de cette préparation et frottez l'extérieur avec 1 cuillerée à soupe de sauce d'huître. Faites rôtir 30 minutes dans un four préchauffé à 200 °C sans couvrir. Baissez la température à 180 °C et faites rôtir 2 heures.

Lavez les abats, mettez-les dans une casserole avec le bouillon, le reste de la citronnelle et des ciboules, les carottes, le reste des échalotes, le gingembre et les grains de poivre noir puis portez à ébullition. Baissez le feu et laissez mijoter 1 heure 30. Passez le bouillon au tamis au-dessus d'un récipient propre. Enlevez les abats, jetez les éléments solides et laissez refroidir.

Sortez le canard du four et versez le jus qu'il contient dans un récipient. Laissez reposer le canard 15 à 20 minutes. Dégraissez le jus de canard et ajoutez-le dans la casserole avec le bouillon.

Mélangez la farine avec un peu de bouillon dans un récipient. Faites cuire à frémissements le bouillon, la sauce d'huître restante, la sauce soja claire et le sucre à feu doux, en remuant. Ajoutez le liquide à la farine et remuez jusqu'à épaississement. Goûtez et ajustez l'assaisonnement.

Détachez la chair du canard et répartissez-la sur du riz jasmin bouilli (voir page 128). Versez la sauce sur le canard et garnissez de concombre et de coriandre.

curry de bœuf façon chiang mai

Pour **4 personnes**
Préparation **10 minutes**
Cuisson **environ 25 minutes**

1 ½ c. à s. d'**huile
de tournesol**
2 à 3 c. à s. de **pâte
de curry rouge**
(voir page 94)
1 c. à c. de **curcuma** moulu
¼ de c. à c. de **poivre
de la Jamaïque**
500 g de **bœuf** maigre,
coupé en fines tranches
400 ml de **lait de coco**
en conserve
250 ml de **bouillon de bœuf**
ou **de légumes**
2 ½ à 3 c. à s. de **sauce
de poisson**
50 à 65 g de **sucre de noix
de coco**, **de palme**
ou **roux**, ou 4 ou 5 c. à s.
de **miel** liquide
4 ou 5 c. à s. de **jus
de tamarin** (voir page 90)
ou 3 à 3 ½ c. à s. de **jus
de citron vert**

Pour décorer
½ **poivron rouge**
coupé en lamelles
2 **ciboules** coupées
en lamelles

Faites chauffer l'huile dans une casserole et faites revenir la pâte de curry, le curcuma et le poivre de la Jamaïque à feu moyen 3 à 4 minutes jusqu'à ce que le mélange soit odorant.

Ajoutez le bœuf et faites revenir 4 à 5 minutes. Ajoutez le lait de coco, le bouillon, la sauce de poisson, le sucre ou le miel, et le jus de tamarin ou le jus de citron vert. Laissez mijoter à feu doux 10 à 15 minutes ou jusqu'à ce que le bœuf soit tendre. Goûtez et ajustez l'assaisonnement. Si la sauce a trop réduit, allongez-la avec un peu de bouillon ou d'eau.

Dressez dans des bols, garnissez de lamelles de poivron rouge et de ciboule puis servez avec du riz.

Pour un curry de porc façon Chiang Mai, remplacez le bœuf par 750 g de poitrine de porc coupée en morceaux de 2,5 cm. Ajoutez-la dans la casserole une fois que la pâte de curry est odorante et faites cuire 4 à 5 minutes. Incorporez le lait de coco, 500 ml de bouillon de légumes, 20 petites échalotes entières, 50 g de cacahuètes grillées, 2,5 cm de racine de gingembre frais, râpée, la sauce de poisson, le sucre, le jus de tamarin, et laissez mijoter 45 minutes à 1 heure : le porc doit être tendre. Préparez le plat un jour à l'avance pour pouvoir enlever la graisse qui remonte à la surface et réchauffez-le le lendemain. Dressez dans des bols et garnissez de quelques lamelles de piment rouge.

curry de canard aux litchis

Pour **4 personnes**
Préparation **15 minutes**
Cuisson **15 minutes**

1 ½ c. à s. d'**huile
  de tournesol**
2 ou 3 c. à s. de **pâte de
  curry rouge** (voir page 94)
500 g de **canard rôti**
  désossé et haché
  (environ ½ canard)
400 ml de **lait de coco**
  en conserve
50 ml de **bouillon
  de légumes** ou d'**eau**
2 ½ c. à s. de **sauce
  de poisson**
15 à 25 g de **sucre de noix
  de coco**, de **palme**
  ou **roux**, ou 2 c. à s.
  de **miel** liquide
425 g de **litchis** au sirop
  léger en conserve, égouttés
4 **tomates cerises** avec
  le pédoncule si possible
2 ou 3 **feuilles de kaffir**
  déchirées en deux

Faites chauffer l'huile dans un wok ou une casserole puis faites revenir la pâte de curry à feu moyen 3 à 4 minutes jusqu'à ce qu'elle soit odorante.

Ajoutez le canard rôti et remuez pendant 3 à 4 minutes. Ajoutez le lait de coco, le bouillon ou l'eau, la sauce de poisson et le sucre ou le miel et faites cuire à frémissement à feu moyen 3 à 4 minutes jusqu'à ce que le sucre soit dissous. Ajoutez les litchis, les tomates et les feuilles de kaffir dans les quelques dernières secondes, en veillant à ce que les tomates conservent leur forme. Goûtez et ajustez l'assaisonnement.

Dressez dans 4 bols et servez avec du riz cuit et des légumes vapeur, ou disposez sur des nouilles cuites.

Pour un curry de boulettes de poulet aux litchis,

remplacez le canard par 500 g de poulet haché et 1 poignée de champignons noirs séchés. Faites tremper les champignons dans de l'eau bouillante 5 minutes puis égouttez-les. Ôtez puis jetez les pieds fibreux, et hachez finement les champignons. Mélangez le poulet et les champignons avec 4 gousses d'ail, 4 racines et tiges de coriandre, 20 feuilles de coriandre finement ciselées et ¼ de cuillerée à café de sel de mer. Lorsque la pâte de curry est odorante, ajoutez le lait de coco, le bouillon, la sauce de poisson et le sucre. Mettez des cuillerées de préparation au poulet dans la sauce jusqu'à ce qu'il n'y en ait plus. Laissez mijoter 2 à 3 minutes puis poursuivez la cuisson comme indiqué ci-dessus.

curry massaman

Pour **4 personnes**
Préparation **20 minutes**
Cuisson **25 à 35 minutes**

1 ½ ou 2 c. à s. d'**huile
  végétale**
2 **échalotes**
  finement hachées
2 c. à s. de **pâte
  de curry Massaman**
25 à 50 g de **cacahuètes**
  grillées non salées
500 g de **poulet**
  ou de **bœuf** coupé en dés
400 ml de **lait de coco**
  en conserve
150 ml de **bouillon
  de poulet** ou **de légumes**
2 ou 2 ½ c. à s. de **sauce
  de poisson**
40 à 50 g de **sucre de noix
  de coco**, **de palme** ou **roux**
140 g de **pomme de terre**
  coupée en dés
1 **oignon** coupé en rondelles
2 ½ ou 3 c. à s. de **jus
  de tamarin** (voir page 90)
2 **feuilles de kaffir**
  coupées en lamelles
piments rouges hachés
  pour décorer

Faites chauffer l'huile dans une casserole et faites-y brunir légèrement les échalotes 2 à 3 minutes. Ajoutez la pâte de curry et les cacahuètes puis faites revenir 3 à 4 minutes jusqu'à ce que le mélange soit odorant.

Ajoutez le poulet ou le bœuf et faites revenir 4 à 5 minutes. Incorporez le lait de coco, le bouillon, 2 cuillerées à soupe de sauce de poisson et 40 g de sucre. Laissez mijoter 10 à 15 minutes.

Ajoutez la pomme de terre, l'oignon, 2 ½ cuillerées à soupe de jus de tamarin, et poursuivez la cuisson 5 à 6 minutes. Ajustez l'assaisonnement à votre goût, en utilisant le reste de sauce de poisson, de sucre et de jus de tamarin, si nécessaire.

Dressez dans des bols et garnissez de lamelles de feuilles de kaffir et de piment haché.

Pour préparer une pâte de curry Massaman,

équeutez, épépinez et hachez grossièrement 3 ou 4 piments rouges longs séchés et faites-les tremper dans de l'eau chaude 3 à 4 minutes. (Si vous utilisez des piments frais, ne les faites pas tremper.) Pilez ou mixez-les avec 1 tige de citronnelle de 12 cm finement hachée, 2,5 cm de galanga frais légèrement gratté et émincé, 4 gousses d'ail hachées, 3 échalotes hachées, 3 ou 4 racines et tiges de coriandre hachées, 3 feuilles de kaffir finement ciselées, 1 cuillerée à café de pâte de crevettes et 2 cuillerées à café de cinq-épices jusqu'à la formation d'une pâte. Avec la quantité de pâte de curry obtenue, vous pouvez préparer des currys pour 4 personnes.

légumes crus et dip sauce

Pour **4 personnes**
Préparation **15 minutes**
Cuisson **10 minutes**

environ 500 g
de **légumes crus** variés
2 ou 3 c. à s. de **sauce
aux haricots jaunes**
200 g de **porc haché**
250 g de **crevettes
hachées**
2 **échalotes**
finement hachées
150 ml de **lait de coco**
2 ou 2 ½ c. à s. de **jus
de tamarin** (voir page 90)
½ à 1 c. à s. de **sauce
de poisson**
15 à 25 g de **sucre de noix
de coco**, **de palme**
ou **roux**, ou 1 ou 2 c. à s.
de **miel** liquide
1 gros **piment rouge**
coupé dans le sens
de la longueur,
pour décorer

Coupez les légumes en morceaux de la taille
d'une bouchée.

Écrasez la sauce aux haricots jaunes avec une
fourchette jusqu'à l'obtention d'une pâte grossière.
Mélangez la pâte avec le porc, les crevettes et les
échalotes.

Faites chauffer le lait de coco à feu doux-moyen
3 à 4 minutes. Ajoutez la préparation à la pâte de
haricots jaunes et mélangez bien, puis incorporez
le jus de tamarin, la sauce de poisson et le sucre et
remuez quelques minutes de plus. Goûtez et ajustez
l'assaisonnement. La sauce devrait avoir trois saveurs :
sucrée, aigre et légèrement salée (du fait de la sauce
aux haricots jaunes).

Versez dans des bols, parsemez de piment et servez
chaud avec les légumes croquants.

Pour préparer une sauce dip au porc et au tofu,
remplacez les crevettes par 250 g de tofu ferme
détaillé en dés. Mélangez la pâte de haricots jaunes
avec le porc haché, le tofu et les échalotes, et faites
cuire comme indiqué ci-dessus. Servez avec les
légumes crus pour accompagner un repas.

fruits de mer

poisson croustillant aux haricots verts

Pour **4 personnes**
Préparation **10 minutes**
+ séchage et repos
Cuisson **40 minutes**

625 g de **maquereau**,
vidé, lavé et séché
huile de tournesol
pour la friture
15 g de **protéines
de soja texturées**
1 ½ ou 2 c. à s.
de **pâte de curry rouge**
(voir page 94)
175 g de **haricots verts**
coupés en tronçons
de 2,5 cm
1 c. à s. de **sauce
de poisson**
15 g de **sucre de noix
de coco, de palme**
ou **roux**, ou 1 c. à s.
de **miel** liquide
1 c. à s. de **crevettes
séchées** moulues

Pour décorer
5 **feuilles de kaffir**
finement ciselées
quelques lamelles
de **piment rouge**

Faites cuire le poisson au barbecue ou au gril à température moyenne 6 à 8 minutes de chaque côté. Laissez refroidir complètement. Étêtez et enlevez les arêtes restantes. À l'aide d'une fourchette, détachez la chair, émiettez-la et disposez-la sur une plaque. Laissez sécher 2 à 3 heures à température ambiante, ou plus rapidement au four à basse température.

Faites chauffer 7 cm d'huile dans un wok sur feu moyen. Pour savoir si elle est prête, plongez-y un petit morceau de poisson : il doit grésiller immédiatement. Faites frire en trois ou quatre fois, pendant 3 minutes. Utilisez 2 cuillères pour retourner les morceaux de poisson et faites-les cuire 1 à 2 minutes de plus. Égouttez-les sur du papier absorbant.

Faites tremper les protéines de soja texturées dans de l'eau chaude 6 à 7 minutes. Égouttez-les et essorez-les bien.

Faites chauffer 1 ½ cuillerée à soupe d'huile dans un wok. Faites revenir la pâte de curry à feu moyen 3 à 4 minutes. Ajoutez les protéines de soja, les haricots verts, la sauce de poisson, le sucre ou le miel et les crevettes séchées moulues. Faites revenir 3 à 4 minutes. Goûtez et ajustez l'assaisonnement.

Répartissez le poisson croustillant dans 4 assiettes et servez avec les haricots verts au curry. Garnissez de feuilles de kaffir et de lamelles de piment.

crevettes au sésame noir

Pour **4 personnes**
(avec 2 autres plats
principaux)
Préparation **10 minutes**
Cuisson **environ 10 minutes**

250 g de **crevettes** crues
½ c. à s. de **graines
de sésame noir**
1 ½ c. à s. d'**huile
de tournesol**
2 ou 3 gousses d'**ail**
émincées
200 g de **châtaignes d'eau**,
égouttées et émincées
125 g de **pois mange-tout**
équeutés
2 c. à s. de **bouillon
de légumes**, de bouillon
de fruits de mer ou d'eau
1 c. à s. de **sauce soja** claire
1 c. à s. de **sauce d'huître**

Préparez les crevettes (voir page 13).

Faites griller les graines de sésame noir à sec
dans une petite casserole 1 à 2 minutes, puis réservez.

Faites chauffer l'huile dans un wok ou une grande
poêle et faites-y dorer l'ail à feu moyen. Ajoutez les
crevettes, les châtaignes d'eau et les pois mange-
tout puis faites revenir 1 à 2 minutes à feu vif. Ajoutez
le bouillon, la sauce soja et la sauce d'huître et
poursuivez la cuisson 2 à 3 minutes jusqu'à ce que les
crevettes s'ouvrent et deviennent roses. Incorporez les
graines de sésame grillées et servez immédiatement.

Pour préparer un bouillon de fruits de mer, mettez
1,8 litre d'eau froide dans une grande casserole et
ajoutez 1 oignon sans la peau extérieure et la racine,
détaillé en quartiers, 1 carotte grossièrement hachée,
3 gousses d'ail non épluchées, légèrement écrasées,
des tiges de citronnelle de 20 cm légèrement
écrasées, grossièrement coupées, 2,5 cm de racine
de gingembre frais épluchée, finement coupée,
3 plants de coriandre entiers lavés, racines légèrement
écrasées, 30 baies de Goji séchées (facultatif), 5 grains
de poivre noir concassés et 250 g de têtes, queues et
arêtes de poisson lavées ou d'un mélange d'arêtes de
poisson et de carapaces de crevettes. Faites chauffer
à feu moyen jusqu'au point d'ébullition. Baissez sur feu
doux et laissez cuire 10 minutes à frémissement, tout
en écumant de temps en temps. Ajoutez les têtes,
les queues et les arêtes de poisson, en laissant mijoter
10 à 15 minutes de plus. Passez le bouillon au tamis.

œufs de caille sur nid de haricots verts

Pour **4 personnes**
Préparation **15 à 20 minutes**
Cuisson **environ 25 minutes**

175 g de **crevettes** crues
  moyennes
12 **œufs de caille**
huile de tournesol
  pour la friture
1 ½ à 2 c. à s. de **pâte**
  de curry rouge
  (voir page 94)
175 g de **haricots verts**
  coupés en tronçons
  de 2,5 cm, en biais
1 c. à s. de **sauce**
  de poisson
15 g de **sucre de noix**
  de coco, **de palme** ou
  roux, ou 1 c. à s. de **miel**
  liquide
2 ou 3 **feuilles de kaffir**
  finement ciselées
  pour décorer

Préparez les crevettes (voir page 13).

Plongez les œufs de caille dans une casserole remplie d'eau et portez à ébullition, puis baissez le feu et laissez cuire 5 minutes à frémissement. Égouttez-les, cassez légèrement les coquilles puis laissez-les refroidir dans de l'eau froide. Écalez les œufs.

Faites chauffer 5 cm d'huile dans un wok à feu moyen – l'huile ne doit pas être trop chaude. Ajoutez les œufs avec précaution et faites-les frire 6 à 8 minutes jusqu'à ce qu'ils soient bien dorés. Égouttez-les sur du papier absorbant. Faites frire les crevettes 1 à 2 minutes, puis égouttez-les.

Enlevez la plus grande partie de l'huile du wok mais laissez-y 1 ½ cuillerée à soupe, et faites revenir la pâte de curry à feu moyen 3 à 4 minutes ou jusqu'à ce qu'elle soit odorante. Ajoutez les haricots verts, la sauce de poisson et le sucre ou le miel et faites revenir pendant 3 à 4 minutes. Ajoutez les crevettes, puis goûtez et ajustez l'assaisonnement.

Dressez les haricots verts et les crevettes sur 4 assiettes chaudes, disposez les œufs de caille dessus et garnissez de feuilles de kaffir.

Pour des œufs de caille sur nid de légumes,
remplacez les haricots verts par 175 g de courgettes, d'asperges et de mini épis de maïs doux. Détaillez les courgettes en allumettes et les asperges en tronçons de 2,5 cm ; les mini épis de maïs doux peuvent rester entiers. Faites cuire comme ci-dessus.

crevettes aux fleurs de ciboulette

Pour **4 personnes**
Préparation **10 minutes**
Cuisson **environ 5 minutes**

1 ou 1 ½ c. à s. d'**huile
de tournesol**
2 ou 3 gousses d'**ail**
émincées
375 g de **ciboulette
chinoise en fleur**,
coupée en morceaux
de 7 cm (enlevez les
extrémités dures des tiges)
1 c. à s. de **sauce soja**
claire
2 c. à s. de **sauce d'huître**
250 g de **petites crevettes**
crues, décortiquées et
grossièrement hachées
quelques lamelles
de **piment rouge**
pour décorer

Faites chauffer l'huile dans un wok ou une grande poêle et faites-y dorer l'ail à feu moyen. Ajoutez la ciboulette, la sauce soja claire et la sauce d'huître puis faites revenir 2 à 3 minutes.

Ajoutez les crevettes dans le wok et faites-les cuire 3 minutes en remuant. Dressez sur des assiettes de service et garnissez de lamelles de piment.

Servez immédiatement avec du riz jasmin bouilli ou des nouilles cuites.

Pour préparer du riz jasmin à servir en accompagnement, mettez 500 g de riz jasmin dans un récipient avec de l'eau propre. Passez-le entre vos doigts quatre ou cinq fois puis égouttez-le. Passez-le encore une fois entre vos doigts et égouttez-le de nouveau. Transvasez le riz dans une casserole antiadhésive et ajoutez 900 ml d'eau ou de bouillon de légumes. Faites cuire à feu vif en remuant souvent jusqu'à ébullition. Puis baissez le feu au minimum et couvrez en laissant une petite ouverture. Laissez mijoter doucement 10 à 15 minutes jusqu'à ce que le liquide ait été absorbé. Retirez du feu et laissez reposer 10 à 15 minutes. Enlevez le couvercle, remuez doucement pour séparer les grains, puis servez.

poisson vapeur aux prunes

Pour **4 personnes**
Préparation **30 minutes**
Cuisson **20 minutes**

1 kg de **poissons entiers**
(carrelet, bar ou grande
castagnole), lavés, écaillés
si nécessaire, vidés et
incisés trois ou quatre fois
avec un couteau tranchant
3,5 cm de racine
de **gingembre** frais,
épluchée et finement râpée
50 g de **champignons
de Paris**, nettoyés et
émincés
50 g de **bacon fumé** coupé
en fines lanières
4 **ciboules** coupées
en tronçons de 2,5 cm
2 petites **prunes** en conserve,
légèrement écrasées
2 c. à s. de **sauce soja** claire
1 pincée de **poivre blanc**
moulu

Pour garnir
feuilles de **coriandre**
quelques lamelles
de **piment rouge**

Placez les poissons sur une assiette creuse légèrement
plus grande, de taille adaptée au panier en bambou ou
à la grille vapeur du wok. Parsemez-les de gingembre,
de champignons, de bacon, de ciboules, de prunes,
arrosez de sauce soja et saupoudrez de poivre blanc.

Remplissez un wok ou un cuit-vapeur d'eau, couvrez
et portez à grosse ébullition à feu vif. Posez la grille ou
le panier sur l'eau bouillante. Couvrez et faites cuire à
la vapeur 15 à 20 minutes (selon la variété et la taille
des poissons) : vous devez pouvoir facilement glisser
une brochette dans la chair.

Dressez les poissons sur un plat de service chaud.
Garnissez de feuilles de coriandre, de lamelles de
piment et servez avec du riz jasmin (voir page 128).

Pour du poisson vapeur au gingembre
et aux ciboules, supprimez les champignons, le bacon
fumé et les prunes. Ajoutez 1 cuillerée à soupe d'huile
de tournesol et 1 cuillerée à soupe d'huile de sésame,
et 2 ou 3 cuillerées à soupe de sauce soja claire.
Arrosez-en les poissons. Parsemez de gingembre
et de ciboules, puis faites cuire à la vapeur comme
indiqué ci-dessus.

crabe au curry et au lait de coco

Pour **4 personnes**
Préparation **15 minutes**
Cuisson **15 minutes**

500 g de **crabes** vivants,
   frais ou surgelés
1 ½ ou 2 c. à s. d'**huile**
   de tournesol
2 ou 3 c. à s. de **pâte**
   de curry jaune
   (voir page 88)
1 **oignon rouge** coupé
   en fines rondelles
175 ml de **lait de coco**
1 gros **œuf** légèrement battu
1 ½ à 2 c. à s. de **sauce**
   de poisson
2 **ciboules** coupées
   en tronçons de 2,5 cm

Préparez les crabes (voir page 13).

Faites chauffer l'huile dans un wok ou une grande poêle et faites revenir la pâte de curry à feu moyen 3 à 4 minutes jusqu'à ce qu'elle soit odorante.

Ajoutez les crabes et l'oignon et faites revenir 7 à 8 minutes ou jusqu'à ce que la chair des crabes soient cuites. Ajoutez le lait de coco, l'œuf, la sauce de poisson et les ciboules puis faites cuire 2 à 3 minutes en remuant. Goûtez et ajustez l'assaisonnement. **Dressez** sur un plat de service chaud.

Pour un curry de crabe, supprimez la pâte de curry jaune et la sauce de poisson. Faites revenir 3 ou 4 gousses d'ail finement hachées avec 2 cuillerées à café de curry en poudre et l'oignon jusqu'à ce que l'ail soit légèrement doré. Ajoutez le crabe et faites revenir 4 à 5 minutes. Incorporez le lait de coco, 1 cuillerée à soupe de sauce soja claire, ½ cuillerée à soupe de sauce d'huître et l'œuf et poursuivez la cuisson 5 à 7 minutes ou jusqu'à ce que la chair du crabe soit cuite et que la sauce ait réduit de moitié. Ajoutez les ciboules et finissez la recette comme indiqué ci-dessus.

poisson à la citronnelle au four

Pour **4 personnes**
Préparation **10 minutes**
Cuisson **20 à 25 minutes**

1 kg de **poissons entiers**
(maquereau, tilapia,
daurade, vivaneau ou
mulet gris), lavés et écaillés
si nécessaire, vidés et
incisés 3 ou 4 fois avec
un couteau tranchant
4 tiges de **citronnelle**
de 12 cm, coupées en
tronçons de 2,5 cm
en biais
2 **carottes** détaillées
en allumettes
4 c. à s. de **sauce soja** claire
2 c. à s. de **jus de citron vert**
1 **piment rouge** finement
haché

Pour décorer
feuilles de **coriandre**
quelques lamelles
de **piment rouge**
quelques **quartiers**
de **citron** pour servir

Placez les poissons dans un plat de cuisson,
parsemez-les de citronnelle et de carottes et arrosez
de 1 ½ cuillerée à soupe de sauce soja claire et de jus
de citron vert.

Couvrez le plat de cuisson avec du papier d'aluminium
et faites cuire 20 à 25 minutes dans un four préchauffé
à 180 °C. Vous devez pouvoir facilement glisser une
brochette dans la chair et elle doit en ressortir propre.
Placez chaque poisson sur une assiette chaude et
arrosez de sauce. Décorez de feuilles de coriandre
et de lamelles de piment puis servez avec des quartiers
de citron.

Versez le reste de la sauce soja claire dans un petit bol
avec le piment haché et servez à côté.

Servez avec d'autres plats, avec du riz bouilli, ou seul
en guise de repas léger avec des légumes sautés
ou vapeur.

Pour des filets de colin à la citronnelle, remplacez
les poissons entiers par 4 filets de colin de 250 g
et éliminez les éventuelles arêtes. Assaisonnez-les
comme indiqué ci-dessus et faites cuire au four
15 à 17 minutes. Garnissez de piment rouge finement
haché et servez comme ci-dessus.

palourdes au gingembre

Pour **4 personnes** (avec
  3 autres plats principaux)
Préparation **10 minutes**
Cuisson **8 à 10 minutes**

1 kg de **palourdes**
  dans leur coquille
2 c. à s. d'**huile de tournesol**
4 ou 5 gousses d'**ail** émincées
4 c. à s. de **bouillon**
  de légumes, de **bouillon**
  de fruits de mer ou d'**eau**
50 g de racine de **gingembre**
  frais, épluchée et émincée
1 c. à s. de **sauce d'huître**
1 à 1 ½ c. à s.
  de **sauce soja** claire
2 **ciboules** coupées
  en fines rondelles
feuilles de **coriandre**
  pour décorer

Préparez les palourdes : passez-les sous l'eau froide
en les frottant bien avec une brosse à poils durs. Jetez
toutes celles dont la coquille est ouverte ou cassée.

Faites chauffer l'huile dans un wok ou une grande
poêle et faites-y dorer l'ail à feu moyen.

Ajoutez les palourdes et faites-les revenir à feu moyen
4 à 5 minutes. Ajoutez le bouillon ou l'eau, le gingembre,
la sauce d'huître, la sauce soja et les ciboules et faites
cuire 2 à 3 minutes de plus en remuant jusqu'à ce que
les palourdes soient ouvertes. Jetez toutes celles qui
restent fermées.

Dressez sur un plat de service, garnissez de feuilles
de coriandre et servez immédiatement.

Pour des palourdes au piment et au basilic thaï,
ajoutez 1 oignon moyen coupé en fines rondelles et
2 ou 3 piments oiseaux légèrement écrasés dans
le wok, après avoir fait dorer l'ail. Faites revenir
2 minutes, puis incorporez les palourdes et continuez
la cuisson comme ci-dessus. À la fin de la cuisson,
ajoutez 1 poignée de feuilles de basilic thaï (supprimez
la coriandre) et mélangez avant de servir.

poisson au curry panang

Pour **4 personnes**
Préparation **10 minutes**
Cuisson **environ
    15 minutes**

1 ½ c. à s. d'**huile
    de tournesol**
2 ou 3 c. à s. de **pâte
    de curry Panang**
    (voir page 196)
300 ml de **lait de coco**
1 ½ c. à s. de **sauce
    de poisson**
25 g de **sucre de noix
    de coco, de palme**
    ou **roux**, ou 2 c. à s.
    de miel liquide
4 **filets de poisson**
    de 250 g chacun
    (cabillaud, haddock
    ou bar), sans arêtes
3 c. à s. de **jus de tamarin**
    (voir page 90), ou
    2 ½ c. à s. de jus
    de citron vert

Pour décorer
4 **feuilles de kaffir** finement
    ciselées
quelques lamelles
    de **piment rouge**

Faites chauffer l'huile dans un wok ou une casserole. Faites revenir la pâte de curry à feu moyen 3 à 4 minutes jusqu'à ce qu'elle soit odorante.

Ajoutez le lait de coco, la sauce de poisson, le sucre ou le miel et laissez mijoter doucement 2 à 3 minutes jusqu'à ce que le sucre soit dissous.

Ajoutez les filets de poisson et le jus de tamarin ou le jus de citron vert. Versez la sauce dessus et faites cuire 4 à 5 minutes, en remuant de temps en temps. La sauce devrait être légèrement douce, sucrée et aigre, pas trop épicée. Goûtez et ajustez l'assaisonnement.

Dressez sur 4 assiettes chaudes et garnissez de feuilles de kaffir et de lamelles de piment.

Pour des boulettes de poisson au curry Panang,
mélangez 500 g de filets de poisson hachés avec 2 cuillerées à soupe de farine. Avec des mains mouillées, formez des petites boulettes ou galettes d'environ 2,5 cm de diamètre avec la pâte de poisson. Plongez-les doucement dans le lait de coco une fois que le sucre est dissous, et laissez cuire à frémissement 7 à 8 minutes à feu moyen. Poursuivez comme indiqué ci-dessus.

poisson frit à la sauce trois saveurs

Pour **4 personnes**
Préparation **15 minutes**
Cuisson **50 minutes**

7 ou 8 **piments rouges**
  d'environ 12 cm, épépinés
  et hachés
6 gousses d'**ail**
  grossièrement hachées
8 **échalotes**
  grossièrement hachées
5 **racines et tiges**
  de coriandre
  grossièrement hachées
huile de tournesol
  pour la friture
150 g de **sucre de noix de**
  coco, de palme ou **roux**,
  ou 10 c. à s. de **miel** liquide
3 ½ à 4 c. à s. de **sauce**
  de poisson
5 à 6 c. à s. de **jus de**
  tamarin (voir page 90)
  ou 5 à 6 c. à s. de **jus**
  de citron vert
1 kg de **poissons entiers**
  (tilapia, daurade, vivaneau
  ou mulet gris), lavés et
  écaillés si nécessaire,
  vidés, incisés 3 ou 4 fois
  avec un couteau tranchant
  et essuyés
6 c. à s. de **farine**
feuilles de **coriandre**
quelques lamelles
  de **piment rouge**

À l'aide d'un pilon et d'un mortier ou d'un petit mixeur, pilez ou mixez les piments frais, l'ail, les échalotes et les racines et tiges de coriandre jusqu'à obtention d'une pâte épaisse.

Faites chauffer 1 ½ cuillerée à soupe d'huile dans un wok ou une grande poêle et faites revenir la pâte de piment à feu moyen 3 à 4 minutes jusqu'à ce qu'elle soit odorante. Ajoutez le sucre ou le miel, la sauce de poisson, le jus de tamarin ou le jus de citron vert, et laissez mijoter 3 à 4 minutes pour dissoudre le sucre. Goûtez et ajustez l'assaisonnement. Retirez du feu.

Saupoudrez les poissons de farine.

Faites chauffer 10 cm d'huile dans un grand wok à feu moyen. Pour savoir si l'huile est prête, plongez-y un morceau d'ail : il doit grésiller immédiatement. Faites frire chaque poisson 10 à 12 minutes jusqu'à ce qu'il soit légèrement doré. Égouttez sur du papier absorbant et gardez au chaud. Dressez sur des assiettes.

Arrosez de sauce de piment chaude et garnissez de feuilles de coriandre et de lamelles de piment.

Pour préparer du tofu frit à la sauce trois saveurs, remplacez le poisson par 500 g de tofu coupé en dés de 1 cm, et faites frire jusqu'à ce qu'il soit légèrement doré ; l'intérieur doit être encore tendre. Remplacez la sauce de poisson par 3 ½ ou 4 cuillerées à soupe de sauce soja claire.

saumon gingembre champignons

Pour **4 personnes**
Préparation **10 minutes**
Cuisson **15 à 17 minutes**

1 poignée de **champignons blancs séchés**
4 **filets de saumon** de 250 g
2 **carottes** détaillées en allumettes
5 cm de racine de **gingembre** frais, épluchée et finement râpée
20 **baies de Goji** séchées (facultatif)
¼ de c. à c. de **poivre noir** moulu
3 c. à s. de **sauce soja** claire
4 **plants entiers de coriandre**
4 poignées de **cresson**, lavé et égoutté, pour servir

Faites tremper les champignons séchés dans de l'eau bouillante 3 à 4 minutes, puis égouttez-les. Enlevez et jetez les pieds fibreux, puis hachez grossièrement les champignons.

Placez les filets de saumon dans un plat de cuisson et parsemez de carottes, de gingembre, de baies de Goji (si vous en utilisez) et de champignons. Saupoudrez de poivre et arrosez de 1 cuillerée à soupe de sauce soja. Cassez chaque plant de coriandre en deux et répartissez-les sur les filets. Couvrez de papier d'aluminium et faites cuire dans un four préchauffé à 180 °C pendant 15 à 17 minutes : vous devez pouvoir facilement glisser une brochette dans la chair et elle doit en ressortir propre.

Retirez les plants de coriandre. Placez un filet de poisson avec un peu de sauce sur chaque assiette chaude et ajoutez un peu de cresson à côté. Servez avec le reste de la sauce soja claire, présentée séparément dans un petit bol. Vous pouvez aussi disposer chaque filet sur du riz bouilli ou des nouilles cuites, ou le servir avec un plat de légumes (légumes sautés, par exemple).

Pour du haddock au gingembre et à la citronnelle, supprimez les champignons. Remplacez les filets de saumon par des filets de haddock de 250 g et ajoutez 4 tiges de citronnelle d'environ 12 cm, légèrement écrasées avec un rouleau à pâtisserie et coupées en deux en biais, et 2 cuillerées à soupe de jus de citron vert, à verser sur les filets. Faites cuire au four en suivant les indications ci-dessus.

omelette thaïe aux crevettes

Pour **4 personnes**
Préparation **10 minutes**
Cuisson **8 à 10 minutes**

3 gousses d'**ail**
  grossièrement hachées
2 **racines et tiges**
  de coriandre grossièrement
  hachées
2 **échalotes**
  grossièrement hachées
4 **feuilles de kaffir**
  finement ciselées
4 gros **œufs**
¼ de c. à c. de **poivre**
  noir moulu
5 c. à s. de **bouillon**
  de légumes ou d'eau
1 c. à s. de **sauce soja claire**
125 g de **crevettes** hachées
2 c. à s. d'**huile de tournesol**

À l'aide d'un pilon et d'un mortier, pilez l'ail, les racines et tiges de coriandre, les échalotes et les feuilles de kaffir jusqu'à l'obtention d'une pâte.

Mélangez les œufs, le poivre, le bouillon ou l'eau, la sauce soja et les crevettes hachées avec un fouet.

Faites chauffer 1 ½ cuillerée à soupe d'huile dans un wok et faites revenir la pâte d'ail 2 à 3 minutes à feu moyen. Versez la préparation aux œufs et faites cuire 3 à 4 minutes. Retournez-la et faites-la dorer de l'autre côté, puis détaillez-la en morceaux.

Répartissez l'omelette sur des assiettes chaudes. Servez avec des légumes sautés ou un curry et du riz bouilli.

Pour une omelette au poivron rouge et au gingembre, supprimez la coriandre et les feuilles de kaffir. Battez les œufs, les échalotes, le poivre, le bouillon, ½ cuillerée à soupe de sauce soja claire et les crevettes hachées. Préparez l'omelette comme indiqué ci-dessus. Faites chauffer une autre cuillerée à soupe d'huile, ½ cuillerée à soupe d'huile de sésame et faites dorer l'ail finement haché. Ajoutez 1 poivron rouge finement coupé, 75 g de châtaignes d'eau égouttées et coupées en tranches, 1 cm de racine de gingembre frais, épluchée et râpée, et 1 cuillerée à soupe de sauce soja claire. Faites revenir 3 à 4 minutes. Remettez les morceaux d'omelette dans la poêle avec 1 poignée de jeunes pousses d'épinards. Remuez bien. Parsemez de 1 cuillerée à soupe de graines de sésame grillées avant de servir.

fruits de mer au piment

Pour **4 personnes**
Préparation **5 minutes**
Cuisson **environ**
  10 minutes

1 ½ c. à s. d'**huile**
  de tournesol
3 ou 4 gousses d'**ail**
  émincées
125 g de **poivron rouge**,
  épépiné et coupé
  en morceaux de la taille
  d'une bouchée
1 petit **oignon** coupé en huit
1 **carotte** détaillée
  en allumettes
450 g de **mélange de fruits
  de mer** préparés (crevettes,
  calamars, petites noix
  de Saint-Jacques)
2,5 cm de racine de
  gingembre frais, épluchée
  et finement râpée
2 c. à s. de **bouillon
  de légumes** ou **de fruits
  de mer**
1 c. à s. de **sauce d'huître**
½ c. à s. de **sauce soja** claire
1 **piment rouge** long,
  équeuté, épépiné et coupé
  en fines rondelles en biais
1 ou 2 **ciboules** coupées
  en fines rondelles

Faites chauffer l'huile dans une poêle ou un wok
antiadhésif, et faites-y dorer l'ail à feu moyen.

Ajoutez le poivron rouge, l'oignon et la carotte,
et faites-les revenir 2 minutes.

Ajoutez tous les fruits de mer avec le gingembre,
le bouillon, la sauce d'huître et la sauce soja, et faites
cuire 2 à 3 minutes en remuant jusqu'à ce que
les crevettes deviennent roses et que tous les fruits
de mer soient cuits.

Ajoutez le piment et les ciboules puis mélangez bien.
Dressez dans des bols et servez immédiatement.

**Pour des fruits de mer à la sauce douce au piment
et à l'ananas,** faites revenir le poivron rouge, l'oignon
et la carotte après avoir fait dorer l'ail. Ajoutez tous
les fruits de mer, le gingembre, le bouillon, la sauce
d'huître et 2 ou 3 cuillerées à soupe de sauce douce
au piment aromatisée à l'ananas (ou ordinaire si vous
n'en trouvez pas à l'ananas). Supprimez les ciboules
et ajoutez 1 poignée de feuilles de basilic thaï avec
le piment. Mélangez légèrement pendant 1 minute
avant de servir.

curry vert de poisson

Pour **4 personnes**
Préparation **15 minutes**
Cuisson **10 à 15 minutes**

1 ½ c. à s. d'**huile
de tournesol**
2 ou 3 c. à s. de **pâte de
curry verte** (voir page 202)
400 ml de **lait de coco**
en conserve
50 ml de **bouillon
de légumes** ou d'**eau**
2 ½ c. à s. de **sauce
de poisson**
25 g de **sucre de noix
de coco, de palme** ou
roux, ou 2 c. à s. de **miel**
liquide
500 g de **filets de poisson**
(cabillaud, haddock ou
flétan) sans arêtes, coupés
en morceaux de 3,5 cm
150 g de **châtaignes d'eau**
en conserve, égouttées et
coupées en fines tranches
4 **tomates cerises**, avec
le pédoncule si possible
2 ou 3 **feuilles de kaffir**
déchirées en deux

Pour décorer
feuilles de **basilic thaï**
quelques lamelles
de **piment rouge**

Faites chauffer l'huile dans un wok ou une casserole
et faites revenir la pâte de curry verte 3 à 4 minutes
à feu moyen jusqu'à ce qu'elle soit odorante.

Ajoutez le lait de coco, le bouillon ou l'eau, la sauce
de poisson, le sucre ou le miel. Laissez mijoter
3 à 4 minutes à feu moyen pour dissoudre le sucre.
Ajoutez le poisson et les châtaignes d'eau et faites
cuire 4 à 5 minutes de plus. Remuez doucement
plusieurs fois pendant la cuisson. Goûtez et ajustez
l'assaisonnement.

Ajoutez les tomates et les feuilles de kaffir dans les
quelques dernières secondes, en veillant à ce que
les tomates conservent leur forme.

Dressez dans 4 bols et garnissez de feuilles de basilic
et de lamelles de piment.

Pour un curry vert aux légumes variés, remplacez
le poisson par 300 g de citrouille, de patates douces
et de courge, épluchées, coupées en dés et cuites.
Utilisez 2 ½ cuillerées à soupe de sauce soja claire
à la place de la sauce de poisson et du bouillon
de légumes. Ajoutez 250 g de courgettes, de mini épis
de maïs doux et de haricots verts émincés, une fois
que le sucre est dissous, et faites cuire 3 à 4 minutes.
Ajoutez les légumes cuits, réchauffez et poursuivez
comme indiqué ci-dessus.

poivrons farcis aux fruits de mer

Pour **4 personnes**
Préparation **30 minutes**
Cuisson **15 à 18 minutes**

400 ml de **lait de coco**
en conserve (réservez-en
4 c. à s.)
2 ou 3 c. à s. de **pâte de
curry rouge** (voir page 94)
2 gros **œufs**
2 ½ c. à s. de **sauce
de poisson**
300 g de **mélange
de fruits de mer** (petites
crevettes crues, cabillaud
ou haddock, coupés en
morceaux de 1 cm, moules
décoquillées, petites
noix de Saint-Jacques et
anneaux de calamar)
8 **poivrons** longs
1 poignée de feuilles
de **basilic thaï**, de feuilles
d'**épinards** ou de **chou** râpé
½ c. à c. de **farine**

Pour décorer
2 **feuilles de kaffir**
finement ciselées
quelques lamelles
de **piment rouge**

Mélangez le lait de coco, la pâte de curry, les œufs, la sauce de poisson et les fruits de mer dans un récipient. Remplissez à moitié un wok ou un cuit-vapeur d'eau, couvrez et portez à ébullition à feu moyen.

Découpez une longue tranche fine d'environ 1 cm de largeur sur chaque poivron. Retirez les graines et les membranes puis lavez-les et séchez-les. Placez quelques feuilles de basilic ou d'épinards ou du chou râpé dans le fond de chaque poivron, puis remplissez-les de la préparation aux fruits de mer. Placez-les sur une assiette de taille adaptée dans un panier vapeur en bambou ou sur une grille vapeur à l'intérieur du wok. Couvrez et laissez cuire à la vapeur 15 à 18 minutes.

Mélangez la farine et le lait de coco réservé dans une petite casserole. Faites chauffer à feu moyen 2 à 3 minutes, en remuant, jusqu'à épaississement. Disposez-en un peu sur chaque poivron. Garnissez de feuilles de kaffir et de piment, et servez avec du riz ou des nouilles.

crevettes à la citronnelle et au piment

Pour **4 à 6 personnes**
Préparation **30 minutes**
Cuisson **20 minutes**

3 tiges de **citronnelle**
de 12 cm, coupées
en petits morceaux
3 ou 4 **piments rouges**
d'environ 12 cm, épépinés
et grossièrement hachés
6 gousses d'**ail**
grossièrement hachées
15 **échalotes**
dont 5 grossièrement
hachées et 10 coupées
en fines rondelles
3 **racines et tiges**
de coriandre grossièrement
hachées
750 g de **crevettes** crues
de taille moyenne
huile de tournesol
pour la friture
160 g de **sucre de noix**
de coco, de palme ou
roux, ou 165 ml de **miel**
liquide
3 ½ c. à s. de **sauce**
de poisson
5 c. à s. de **jus de tamarin**
(voir page 90) ou 4 c. à s.
de **jus de citron vert**
feuilles de **coriandre**
quelques lamelles
de **piment rouge**

À l'aide d'un pilon et d'un mortier, pilez la citronnelle, les piments, l'ail, les échalotes hachées et les racines et tiges de coriandre pour former une pâte épaisse. Préparez les crevettes (voir page 13).

Faites chauffer 7 cm d'huile dans un wok à feu moyen. Pour savoir si elle est prête, plongez-y une rondelle d'échalote : elle doit grésiller immédiatement. Faites frire les rondelles d'échalotes 6 à 8 minutes. Égouttez-les sur du papier absorbant.

Faites frire les crevettes en plusieurs fois 3 à 4 minutes, puis égouttez-les sur du papier absorbant.

Videz la plupart de l'huile, en laissant 1 ½ cuillerée à soupe dans le wok. Faites revenir la pâte de citronnelle et de piment à feu moyen 3 à 4 minutes. Ajoutez le sucre ou le miel, la sauce de poisson et le jus de tamarin ou le jus de citron vert et faites cuire 3 à 4 minutes pour dissoudre le sucre. Ajoutez toutes les crevettes et mélangez-les avec la sauce. Goûtez et ajustez l'assaisonnement.

Dressez sur des assiettes chaudes et garnissez d'échalotes frites, de feuilles de coriandre et de lamelles de piment.

plats
uniques

nouilles sautées aux fruits de mer

Pour **4 personnes**
Préparation **20 minutes**
Cuisson **25 minutes**

500 g de **mélange
de fruits de mer**
300 g de **nouilles
de riz** séchées
4 ½ ou 5 c. à s. d'**huile
de tournesol**
3 ou 4 gousses d'**ail**
émincées
4 gros **œufs**
2 **carottes** détaillées
en allumettes
4 à 5 c. à s. de **sauce
de poisson**
3 ½ c. à s. de **ketchup**
5 c. à s. de **jus de tamarin**
(voir page 90) ou de **jus
de citron vert**
1 c. à s. de **sucre en poudre**
¼ de c. à c. de **poudre
de piment**
4 c. à s. de **navet** en
conserve, finement haché
3 ou 4 c. à s. de **crevettes
séchées** moulues
6 c. à s. de **cacahuètes**
grillées, hachées
300 g de **pousses de soja**
2 ou 3 **ciboules** coupées
en tronçons de 2,5 cm
lamelles de **piment rouge**
pour décorer

Préparez les fruits de mer (voir page 12).

Faites cuire les nouilles dans de l'eau bouillante 8 à
10 minutes. Égouttez-les, plongez-les dans un récipient
rempli d'eau froide, puis égouttez-les de nouveau.

Faites chauffer 1 ½ cuillerée à soupe d'huile dans
un wok ou une grande poêle et faites dorer l'ail 1 à
2 minutes à feu moyen. Ajoutez les fruits de mer et faites
cuire 3 à 4 minutes. Sortez-les du wok et réservez.

Ajoutez 1 ½ cuillerée à soupe d'huile dans le wok.
Versez-y les œufs et brouillez-les en les remuant 2 à
3 minutes. Ajoutez le reste d'huile, les nouilles et les
carottes puis faites revenir 3 à 4 minutes. Incorporez
la sauce de poisson, le ketchup, le jus de tamarin ou
le jus de citron vert, le sucre, la poudre de piment, le
navet, les crevettes séchées moulues et les fruits de
mer. Ajoutez la moitié des cacahuètes et des pousses
de soja et toutes les ciboules. Goûtez et ajustez
l'assaisonnement.

Disposez sur des assiettes, parsemez du reste
de cacahuètes et garnissez de lamelles de piment.
Servez avec quelques rondelles de citron vert
et le reste des pousses de soja.

curry de poulet du Nord

Pour **4 personnes**
Préparation **15 minutes**
Cuisson **environ 30 minutes**

huile de tournesol
 pour la friture et le sauté
125 g d'**échalotes**
 coupées en fines rondelles
300 g de **nouilles aux œufs**
2 ou 3 c. à s. de **pâte de**
 curry rouge (voir page 94)
2 c. à c. de **curcuma** moulu
1 c. à c. de **cumin** moulu
500 g de **filets de poulet**
 sans la peau, coupés
 en fines tranches
200 ml de **lait de coco**
200 ml de **bouillon**
 de légumes ou de poulet
2 ½ c. à s. de **sauce**
 de poisson
25 g de **sucre de noix**
 de coco, de palme
 ou **roux**, ou 2 c. à s.
 de **miel** liquide
quelques lamelles de **piment**
 rouge pour décorer
4 quartiers de **citron vert**
 pour servir

Faites chauffer 7 cm d'huile dans un wok à feu moyen. L'huile ne doit pas être trop chaude ; pour savoir si elle est prête, plongez-y un petit morceau d'échalote : il doit grésiller immédiatement. Faites frire les échalotes 6 à 8 minutes. Égouttez-les sur du papier absorbant.

Faites cuire les nouilles dans de l'eau bouillante 8 à 10 minutes ou en suivant les instructions de l'emballage. Gardez-les au chaud.

Faites chauffer 1 ½ cuillerée à soupe d'huile dans un wok ou une grande poêle. Faites revenir la pâte de curry avec le curcuma et le cumin à feu moyen pendant 3 à 4 minutes jusqu'à ce que le mélange soit odorant.

Ajoutez le poulet et faites revenir 4 à 5 minutes. Ajoutez le lait de coco, le bouillon, la sauce de poisson, le sucre ou le miel, puis laissez mijoter 3 à 4 minutes pour dissoudre le sucre, en remuant de temps en temps. Goûtez et ajustez l'assaisonnement.

Répartissez les nouilles dans 4 assiettes. Disposez le curry de poulet dessus et garnissez de lamelles de piment et d'échalotes croustillantes. Posez 1 quartier de citron vert sur le côté de chaque assiette.

Pour un curry de fruits de mer du Nord, laissez mijoter le lait de coco, le bouillon, la sauce de poisson et le sucre une fois que la pâte de curry est odorante. Ajoutez 500 g de fruits de mer de votre choix, faites cuire 3 à 4 minutes de plus, puis poursuivez comme indiqué ci-dessus.

nouilles croustillantes aux légumes

Pour **4 personnes**
Préparation **15 minutes**
Cuisson **15 à 20 minutes**

500 g de **légumes variés**
  (brocoli, chou-fleur,
  carottes émincées, mini
  épis de maïs doux, pois
  mange-tout, haricots verts,
  champignons coupés
  en deux, chou haché)
environ 750 ml d'**huile
  de tournesol** pour la friture
125 g de **nouilles aux œufs**
3 ou 4 gousses d'**ail** hachées
125 g de **pousses de soja**
1 cm de racine de
  gingembre frais, épluchée
  et finement hachée
200 ml de **bouillon
  de légumes** ou d'eau
2 c. à s. de **sauce soja** claire
3 ½ ou 4 c. à s. de **sauce
  d'huître**
2 **ciboules** coupées
  en tronçons de 2,5 cm
feuilles de **coriandre**
  pour décorer

Faites blanchir le brocoli, le chou-fleur et les carottes
1 minute dans de l'eau bouillante. Égouttez-les et plongez-
les dans un récipient rempli d'eau froide pour que les
légumes soient croquants. Égouttez-les de nouveau puis
placez-les dans un récipient avec les autres légumes.

Faites chauffer 7 cm d'huile dans un wok à feu moyen.
Faites frire les nouilles en plusieurs fois 5 à 6 minutes.
Égouttez-les sur du papier absorbant et gardez-les
au chaud.

Videz l'huile du wok en y laissant 1 ou 1 ½ cuillerée à
soupe, et faites-y dorer l'ail 1 à 2 minutes à feu moyen.
Ajoutez tous les légumes, les pousses de soja et le
gingembre et faites revenir 3 à 4 minutes. Incorporez le
bouillon, la sauce soja claire et 3 ½ cuillerées à soupe
de sauce d'huître, puis ajoutez les ciboules. Goûtez et
ajustez l'assaisonnement en versant le reste de sauce
d'huître si nécessaire.

Dressez les nouilles sur des assiettes et disposez les
légumes dessus. Garnissez de feuilles de coriandre.

Pour des nouilles croustillantes aux fruits de mer,
remplacez les légumes par 500 g de mélange de
fruits de mer (crevettes crues décortiquées, anneaux
de calamar, moules avec les coquilles et petites noix
de Saint-Jacques). Faites dorer l'ail, ajoutez 375 g de
feuilles de chou grossièrement hachées et faites revenir
3 minutes. Ajoutez les fruits de mer et les pousses de
soja et faire cuire en remuant 3 à 4 minutes de plus.
Finissez comme indiqué ci-dessus.

nouilles épicées aux fruits de mer

Pour **4 personnes**
Préparation **15 minutes**
Cuisson **20 minutes**

500 g de **mélange de fruits de mer** (crevettes crues moyennes, tentacules de calamar, moules décoquillées et petites noix de Saint-Jacques)
375 g de **nouilles de riz plates** séchées, d'environ 1 cm de largeur
1 ½ ou 2 c. à s. d'**huile de tournesol**
3 ou 4 gousses d'**ail** émincées
2 ou 3 petits **piments oiseaux** légèrement écrasés
2 ½ c. à s. de **sauce de poisson**
3 c. à s. de **bouillon de fruits de mer** ou d'**eau**
1 poignée de feuilles de **basilic thaï**

Préparez les fruits de mer (voir page 13).

Faites cuire les nouilles dans de l'eau bouillante 8 à 10 minutes ou en suivant les instructions de l'emballage, puis égouttez-les. Ajoutez de l'eau pour refroidir les nouilles, puis égouttez-les de nouveau.

Faites chauffer l'huile dans un wok ou une grande poêle, et faites revenir l'ail et les piments à feu moyen 1 à 2 minutes, ou jusqu'à ce que l'ail soit légèrement doré. Ajoutez les fruits de mer et faites cuire 3 à 4 minutes en remuant, puis déplacez-les vers les bords du wok ou de la poêle.

Ajoutez les nouilles, la sauce de poisson et le bouillon ou l'eau, en mélangeant jusqu'à ce que les nouilles soient chaudes. Ajoutez enfin les feuilles de basilic et faites revenir jusqu'à ce qu'elles commencent à flétrir. Goûtez et ajustez l'assaisonnement.

Dressez sur 4 assiettes chaudes.

Pour des nouilles épicées aux légumes, remplacez les fruits de mer par 500 g de légumes variés (par exemple, bouquets de brocoli, carottes coupées en rondelles, poivrons rouges, mini épis de maïs doux, haricots verts, champignons et feuilles de chou émincés). Après avoir fait dorer l'ail, ajoutez les brocolis, les carottes et les poivrons et faites revenir 3 à 4 minutes, puis ajoutez le maïs doux, les haricots verts, les champignons, le chou et les nouilles, et poursuivez comme indiqué ci-dessus.

crabe sauté aux vermicelles

Pour **2 à 4 personnes**
Préparation **30 minutes**
Cuisson **20 minutes**

1 ou 2 **crabes** vivants,
  frais ou surgelés (environ
  500 g de poids total)
125 g de **vermicelles**
  de soja
1 ½ ou 2 c. à s. d'**huile**
  de tournesol
2 ou 3 gousses d'**ail** émincées
1 **oignon rouge** coupé
  en fines rondelles
1 **poivron rouge** épépiné
  et coupé en morceaux
  de la taille d'une bouchée
1 **carotte** détaillée
  en allumettes
1 cm de racine de **gingembre**
  frais, épluchée et finement
  râpée
1 ½ c. à s. de **sauce soja**
  claire
1 c. à s. de **sauce d'huître**

Pour décorer
feuilles de **coriandre**
2 **ciboules** coupées
  en morceaux de 2,5 cm

Préparez les crabes (voir page 13).

Faites tremper les vermicelles dans de l'eau chaude
4 à 5 minutes. Égouttez-les bien puis coupez-les
quatre ou cinq fois avec un couteau tranchant
pour en réduire la taille.

Faites chauffer l'huile dans un wok ou une grande
poêle et faites-y dorer l'ail 1 à 2 minutes à feu moyen.
Ajoutez les morceaux de crabe et faites revenir 10 à
12 minutes. Ajoutez l'oignon, le poivron et la carotte
et faites cuire 3 à 4 minutes en remuant. Incorporez
les nouilles, le gingembre, la sauce soja et la sauce
d'huître puis faites revenir 1 minute de plus. Goûtez
et ajustez l'assaisonnement.

Dressez sur des assiettes chaudes et garnissez
de coriandre et de ciboule.

Pour du crabe sauté aux légumes et aux fleurs
de lis, faites tremper 10 fleurs de lis séchées dans
de l'eau bouillante 8 à 10 minutes, égouttez-les, puis
faites un nœud au milieu de chacune. Remplacez les
nouilles par 400 g de légumes variés, par exemple des
petits champignons de Paris, des pois croquants, des
haricots verts ou du maïs doux, des branches
de céleri et des carottes détaillées en allumettes.
Une fois que les crabes sont à moitié cuits, ajoutez
les légumes, les fleurs de lis, l'oignon rouge, le poivron,
le gingembre, 2 cuillerées à soupe de sauce soja claire
et 2 cuillerées à soupe de sauce d'huître,
et faites cuire encore 6 à 7 minutes.

nouilles aux haricots et champignons

Pour **4 personnes**
Préparation **20 minutes**
Cuisson **25 minutes**

75 g de **protéines de soja texturées**, émincées
1 poignée de **champignons blancs séchés**
2 c. à s. de **graines de sésame noir et blanc**
300 g de **nouilles de riz plates**
3 c. à s. d'**huile de tournesol**
3 ou 4 gousses d'**ail** hachées
250 g de **mélange de haricots** en conserve, égouttés
3 **œufs**
2 **carottes** détaillées en allumettes
150 g de **radis blanc** épluché et détaillé en allumettes
4 ½ c. à s. de **sauce soja** claire
3 ½ c. à s. de **ketchup**
1 ½ c. à s. de **sucre** en poudre
3 c. à s. de **navet** en conserve, finement haché
¼ à ½ c. à c. de **poudre de piment**
150 g de **pousses de soja**
3 c. à s. de **jus de citron vert**
feuilles de **coriandre**
lamelles de **piment rouge**

Faites tremper les protéines de soja texturées dans de l'eau chaude pendant 4 à 5 minutes, puis essorez-les. Faites tremper les champignons séchés dans de l'eau bouillante 3 à 4 minutes, puis égouttez-les. Ôtez les pieds fibreux et jetez-les, puis hachez les champignons.

Faites griller les graines de sésame à sec dans une poêle antiadhésive à feu moyen, 3 à 4 minutes, en remuant la poêle : les graines doivent être légèrement dorées et sauter. Transvasez-les dans un petit récipient.

Faites cuire les nouilles dans de l'eau bouillante 8 à 10 minutes ou en suivant les instructions de l'emballage. Égouttez-les, ajoutez de l'eau pour les refroidir puis égouttez-les de nouveau.

Faites chauffer 1 ½ cuillerée à soupe d'huile dans un wok et faites dorer l'ail à feu moyen 1 à 2 minutes. Ajoutez les protéines de soja, les haricots et les champignons, faites revenir 2 à 3 minutes, puis déplacez-les vers les bords du wok. Ajoutez le reste d'huile et brouillez les œufs 2 à 3 minutes. Ajoutez les carottes et le radis blanc et faites revenir 3 à 4 minutes. Incorporez les nouilles, la sauce soja, le ketchup, le sucre, le navet en conserve, la poudre de piment, les pousses de soja et le jus de citron vert, puis faites revenir 3 à 4 minutes de plus. Goûtez et ajustez l'assaisonnement.

Dressez dans des bols et garnissez de graines de sésame grillées, de feuilles de coriandre et de lamelles de piment.

nouilles sautées aux œufs

Pour **2 personnes**
Préparation **10 minutes**
Cuisson **20 minutes**

175 g de **nouilles aux œufs**
2 ou 2 ½ c. à s. d'**huile
de tournesol**
2 gousses d'**ail** écrasées
1 **oignon** coupé
en fines rondelles
250 g de **filets de poulet**
ou **de porc**, coupés
en fines tranches
2 **œufs**
125 g de **chair de crabe**
ou de **calamar** préparé
125 g de **crevettes**
crues décortiquées
1 ½ ou 2 c. à s.
de **sauce soja** claire
2 ½ ou 3 c. à s.
de **sauce d'huître**
poivre blanc moulu

Pour décorer
feuilles de **coriandre**
zestes de citron vert
finement coupés

Faites cuire les nouilles dans de l'eau bouillante 8 à 10 minutes ou en suivant les instructions de l'emballage. Égouttez-les puis plongez-les dans un récipient rempli d'eau froide. Égouttez-les de nouveau puis réservez-les.

Faites chauffer la moitié de l'huile dans un wok ou une grande poêle, et faites-y dorer l'ail. Ajoutez l'oignon et le poulet ou le porc et faites revenir pendant 3 à 4 minutes, puis déplacez-les sur les bords extérieurs de la poêle.

Ajoutez le reste de l'huile dans le wok ou la poêle et brouillez les œufs 2 à 3 minutes. Ajoutez le crabe ou le calamar et les crevettes et faites revenir 2 à 3 minutes. Ajoutez les nouilles cuites, 1 ½ cuillerée à soupe de sauce soja claire, 2 ½ cuillerées à soupe de sauce d'huître et du poivre puis remuez pour réchauffer les nouilles. Goûtez et ajustez l'assaisonnement, en utilisant le reste de sauce soja claire et de sauce d'huître, si nécessaire.

Répartissez dans des bols et garnissez de feuilles de coriandre et de zestes de citron vert.

Pour des nouilles aux œufs sautées au poulet et au chou, supprimez le calamar ou le crabe et les crevettes. Ajoutez 250 g de chou grossièrement haché après avoir brouillé les œufs, et faites revenir 3 à 4 minutes. Incorporez les nouilles cuites et 1 poignée de pousses de soja avec le reste des ingrédients. Ajustez l'assaisonnement et poursuivez la cuisson comme indiqué ci-dessus.

riz au porc frit

Pour **4 à 6 personnes**
Préparation **5 minutes**
  + repos et séchage
Cuisson **36 à 40 minutes**

1 kg de **poitrine de porc**
  (maigre si possible)
1 c. à c. de **sel de mer**
2 c. à c. de **vinaigre de riz**
huile de tournesol
  pour la friture

Lavez la poitrine de porc et coupez-la en 4 morceaux, tapotez-la avec du papier absorbant et laissez-la sécher pendant 1 heure.

Utilisez un couteau pour inciser la couenne tous les 1 cm environ, en croisillons. Piquez la couenne sur toute sa surface avec une fourchette. Frottez la viande avec le sel et la couenne avec le vinaigre. Laissez reposer à température ambiante pendant 4 à 5 heures, et laissez sécher toute une nuit au réfrigérateur.

Faites chauffer 7 cm d'huile dans un wok à feu moyen. Pour savoir si l'huile est prête, jetez-y un petit morceau d'ail : il doit grésiller immédiatement. Plongez doucement les morceaux de porc un par un dans l'huile, côté couenne vers le bas, et faites-les frire 8 à 10 minutes jusqu'à ce que la viande soit légèrement dorée et croustillante. Égouttez sur du papier absorbant. Répétez l'opération avec le reste des morceaux de porc. Détaillez-les en plus petits morceaux et disposez-les sur du riz bouilli.

Servez avec de la sauce douce au piment (recette page 36).

Pour une salade de porc frit, mélangez le porc frit détaillé en morceaux de la taille d'une bouchée avec 4 échalotes et 3 ciboules émincées, 1 ou 2 piments oiseaux, finement hachés, 3 ½ cuillerées à soupe de jus de citron vert et ½ cuillerée à soupe de sauce de poisson. Goûtez et ajustez l'assaisonnement. Disposez sur un mélange de salade verte et garnissez de feuilles de coriandre et de lamelles de piment.

riz sauté aux crevettes et au crabe

Pour **4 personnes**
Préparation **15 minutes**
Cuisson **6 à 8 minutes**

250 g de **crevettes**
3 c. à s. d'**huile de tournesol**
5 ou 6 gousses d'**ail** émincées
4 **œufs**
1 kg de **riz cuit**, placé au réfrigérateur pendant la nuit
250 g de **chair de crabe** en conserve, égouttée
2 c. à c. de **curry en poudre**
1 ½ ou 2 c. à s. de **sauce soja** claire
1 **oignon** coupé en rondelles
2 **ciboules** coupées en fines rondelles
environ 8 **pinces de crabe** cuites (125 g au total)
½ **piment rouge** ou **vert** long, équeuté, épépiné et coupé en lamelles, pour décorer

Préparez les crevettes (voir page 13).

Faites chauffer la moitié de l'huile dans un wok ou une grande poêle et faites-y dorer l'ail à feu moyen. Ajoutez les crevettes et faites revenir à feu vif pendant 1 à 2 minutes. Déplacez les crevettes sur les bords du wok ou de la poêle.

Ajoutez le reste de l'huile et brouillez les œufs pendant 1 à 2 minutes.

Incorporez le riz, la chair de crabe, le curry en poudre, 1 ½ cuillerée à soupe de sauce soja claire et l'oignon, et faites cuire 1 à 2 minutes, puis ajoutez les ciboules. Dans la dernière minute de cuisson, ajoutez les pinces de crabe. Goûtez et ajustez l'assaisonnement, en utilisant le reste de sauce soja claire si nécessaire.

Dressez sur un plat de service, garnissez de lamelles de piment et servez immédiatement.

Pour du riz sauté au piment et au poivron doux,
ajoutez 1 poivron rouge doux détaillé en morceaux de la taille d'une bouchée et 1 oignon émincé après avoir fait dorer l'ail, puis faites revenir 3 à 4 minutes. Ajoutez les crevettes et 2 piments rouges longs finement hachés, et poursuivez la cuisson comme indiqué ci-dessus, en supprimant la chair de crabe, le curry en poudre et les pinces de crabe.

ananas farci au riz sauté et crevettes

Pour **2 personnes**
Préparation **25 minutes**
Cuisson **30 à 35 minutes**

1 **ananas** avec les feuilles
300 g de **crevettes** crues
  moyennes à grosses
3 ou 3 ½ c. à s. d'**huile
  de tournesol**
1 gros **œuf** battu avec
  1 pincée de sel
2 ou 3 gousses d'**ail** émincées
150 g de **jambon** haché
50 g d'un mélange de **maïs
  doux en grains** et de
  petits pois, décongelés
  s'ils sont surgelés
½ **poivron rouge** épépiné
  et détaillé en dés
1 cm de racine de **gingembre**
  frais, épluchée et finement
  râpée
25 g de **raisins sultanines**
300 g de **riz cuit** froid
1 c. à s. de **sauce soja** claire
2 c. à c. de **curry jaune
  en poudre**
25 g de **noix de cajou**
  grillées pour décorer

Coupez l'ananas en deux dans le sens de la longueur. Évidez la chair pour obtenir 2 coques de 1 cm d'épaisseur. Détaillez la chair en dés, placez-en la moitié dans un récipient et le reste au réfrigérateur pour une utilisation ultérieure.

Enveloppez les feuilles d'ananas dans du papier d'aluminium pour éviter qu'elles brûlent et disposez les coques sur une plaque de four. Faites cuire 10 à 15 minutes dans un four préchauffé à 180 °C. Préparez les crevettes (voir page 13).

Faites chauffer 1 ½ cuillerée à soupe d'huile dans un wok à feu moyen. Versez l'œuf et répartissez-le dans le wok en l'inclinant pour former une omelette fine. Retournez l'omelette pour la faire dorer de l'autre côté. Laissez-la refroidir légèrement hors de la poêle, puis coupez-la en fines lanières.

Faites chauffer le reste de l'huile et faites-y dorer l'ail à feu moyen 1 à 2 minutes. Ajoutez les crevettes, le jambon, le maïs doux, les petits pois, le poivron, le gingembre et les raisins. Faites revenir 3 à 4 minutes jusqu'à ce que les crevettes s'ouvrent et deviennent roses. Ajoutez le riz, la sauce soja, le curry en poudre et l'ananas et faites cuire en remuant 5 à 7 minutes à feu moyen. Goûtez et ajustez l'assaisonnement.

Remplissez les coques d'ananas avec du riz sauté. Garnissez avec les lanières d'omelette et les noix de cajou avant de servir.

riz sauté aux haricots et au tofu

Pour **4 personnes**
Préparation **10 minutes**
Cuisson **7 minutes**

environ 750 ml d'**huile
de tournesol** pour la friture
125 g de **tofu frit** coupé
en dés
2 **œufs**
250 g de **riz cuit** froid
1 ½ à 2 c. à s. de **sauce
soja** claire
2 c. à c. de **piments
séchés**, broyés
1 c. à c. de **sauce
de poisson** ou de **sel**
125 g de **haricots verts**
finement hachés
25 g de **menthe** croustillante
pour servir (facultatif)

Faites chauffer l'huile dans un wok et faites frire le tofu
à température moyenne jusqu'à ce qu'il soit doré de
tous les côtés. Sortez-le de l'huile avec une écumoire,
égouttez-le sur du papier absorbant et réservez-le.

Videz la plupart de l'huile du wok en y laissant
2 cuillerées à soupe. Faites chauffer cette huile puis
cassez-y les œufs, percez les jaunes et mélangez.

Ajoutez le riz, la sauce soja, les piments, la sauce de
poisson ou le sel et les haricots verts puis faites revenir
3 à 4 minutes. Incorporez le tofu et réchauffez 2 à
3 minutes.

Transvasez sur un plat et servez avec de la menthe
croustillante si vous le souhaitez.

Pour préparer de la menthe croustillante, à utiliser
comme garniture, faites chauffer 2 cuillerées à soupe
d'huile d'arachide dans un wok. Ajoutez 25 g
de feuilles de menthe fraîche et 1 petit piment rouge
frais coupé en petits dés dans le wok et faites revenir
1 minute jusqu'à ce que la menthe soit croustillante.
Sortez-la avec une écumoire et égouttez-la sur du papier
absorbant.

riz pimenté au poulet

Pour **4 personnes**
Préparation **10 minutes**
Cuisson **15 minutes**

1 ½ ou 2 c. à s. d'**huile
de tournesol**
3 ou 4 gousses d'**ail** émincées
3 ou 4 petits **piments
oiseaux** légèrement
écrasés
425 g de **filets de poulet**
sans la peau, coupés
en fines tranches
1 **oignon rouge** coupé
en fines rondelles
750 g de **riz jasmin** cuit
(voir page 128), placé
au réfrigérateur pendant
la nuit
2 ½ c. à s. de **sauce
de poisson**
1 poignée de feuilles
de **basilic thaï**

Faites chauffer l'huile dans un wok ou une grande
poêle. Faites revenir l'ail et les piments à feu moyen 1 à
2 minutes ou jusqu'à ce que l'ail soit légèrement doré.
Ajoutez le poulet et l'oignon et faites cuire en remuant
pendant 4 à 5 minutes.

Ajoutez le riz jasmin et la sauce de poisson puis
faites revenir 3 à 4 minutes de plus. Goûtez et ajustez
l'assaisonnement. Incorporez les feuilles de basilic et
faites revenir jusqu'à ce qu'elles commencent à flétrir.

Dressez sur 4 assiettes chaudes.

**Pour du riz aux crevettes et à la sauce douce
au piment,** remplacez le poulet, l'ail et les petits
piments par 425 g de crevettes et 2 ou 3 cuillerées
à soupe de sauce douce au piment (voir page 36).
(Si possible, achetez de la sauce douce au piment
aromatisée à l'ail.) Faites revenir les crevettes 2 à
3 minutes, ajoutez la sauce douce au piment et
mélangez. Déplacez vers les bords du wok ou de
la poêle. Ajoutez l'oignon, le riz et la sauce de poisson
et poursuivez comme indiqué ci-dessus.

soupe de riz au poisson

Pour **4 personnes**
Préparation **10 minutes**
Cuisson **15 minutes**

1 ½ c. à s. d'**huile
de tournesol**
3 ou 4 gousses d'**ail** émincées
1,8 litre de **bouillon
de légumes** ou **de fruits
de mer**
30 **baies de Goji** séchées
(facultatif)
375 g de **riz cuit**
2 c. à s. de **radis mariné**
3 ½ c. à s. de **sauce
soja** claire
375 g de **filets de poisson**
sans la peau et sans arêtes,
coupés en morceaux
de 3,5 cm
1 poignée de **chou chinois**
ou de **blette**, grossièrement
haché
2,5 cm de racine
de **gingembre** frais,
épluchée et finement
hachée

Pour décorer
2 **ciboules** coupées en fines
rondelles
feuilles de **coriandre**
1 pincée de **poivre blanc**
moulu

Faites chauffer l'huile dans une petite casserole
et faites-y revenir l'ail à feu moyen 1 à 2 minutes.
Transvasez dans un petit bol de service.

Faites chauffer le bouillon, les baies de Goji (si vous
en utilisez), le riz (séparez les grains si nécessaire)
et le radis mariné dans une casserole à feu moyen
pendant 6 à 8 minutes. Ajoutez la sauce soja,
le poisson, le chou chinois et le gingembre puis
faites cuire pendant encore 4 à 5 minutes de plus
en remuant doucement de temps en temps. Goûtez
et ajustez l'assaisonnement.

Dressez dans 4 bols, puis garnissez de ciboule, de
feuilles de coriandre et de poivre. Arrosez d'huile à l'ail.

Pour une soupe de riz aux boulettes de calamar,
remplacez les morceaux de poisson par 375 g
de calamar haché. Mélangez avec 2 gousses d'ail
finement hachées, 2 racines et tiges de coriandre
finement hachées, 1 cuillerée à soupe de farine et
½ cuillerée à café de poivre blanc moulu. Formez des
boulettes et plongez-les doucement dans le bouillon
après y avoir ajouté le radis mariné. Poursuivez comme
indiqué ci-dessus.

riz sauté aux fruits de mer

Pour **4 personnes**
Préparation **30 minutes**
Cuisson **6 à 8 minutes**

500 g de **mélange de fruits de mer** (crevettes crues, noix de Saint-Jacques, calamar et filet de poisson blanc)
3 c. à s. d'**huile de tournesol**
4 gousses d'**ail** émincées
1 kg de **riz cuit**, placé au réfrigérateur toute la nuit
2 **oignons** coupés en rondelles
2,5 cm de racine de **gingembre** frais, épluchée et coupée en fines lamelles
2 ½ à 3 c. à s. de **sauce soja** claire
3 **ciboules** coupées en fines rondelles
1 **piment rouge** ou **vert** long, équeuté, épépiné et coupé en fines lamelles, pour décorer

Préparez les fruits de mer (voir page 13).

Faites chauffer l'huile dans un wok ou une grande poêle et faites-y dorer l'ail à feu moyen.

Ajoutez les fruits de mer et faites-les revenir 1 à 2 minutes à feu vif. Ajoutez le riz cuit, les oignons, le gingembre et 2 ½ cuillerées à soupe de sauce soja claire et faites cuire 3 à 4 minutes en remuant. Incorporez les ciboules, goûtez et ajustez l'assaisonnement en utilisant le reste de sauce soja claire si nécessaire.

Dressez sur des assiettes, garnissez de lamelles de piment et servez immédiatement.

Pour une soupe de riz aux fruits de mer, ajoutez 500 g de riz cuit après avoir fait dorer l'ail et faites revenir 3 à 4 minutes. Ajoutez 1,8 litre de bouillon de fruits de mer ou de légumes. Supprimez l'oignon et ajoutez le mélange de fruits de mer, le gingembre, la sauce soja claire ainsi que 2 cuillerées à soupe de radis mariné et 1 poignée de chou blanc. Faites cuire 3 à 4 minutes avant de servir dans des bols.

omelette au riz sauté et au saumon

Pour **4 personnes**
Préparation **10 minutes**
Cuisson **25 à 30 minutes**

5 c. à s. d'**huile
de tournesol**
2 ou 3 gousses d'**ail** émincées
1 **oignon rouge** coupé
en fines rondelles
1 **carotte** détaillée
en allumettes
50 g de **petits pois**,
décongelés s'ils sont
surgelés
500 g de **riz jasmin** cuit
(voir page 128), placé au
réfrigérateur pendant la nuit
125 g de **saumon
en conserve**, égoutté
et émietté
1 cm de racine de
gingembre frais, épluchée
et finement râpée
1 ½ c. à s. de **sauce soja**
claire
4 gros **œufs**
4 c. à s. de **bouillon
de légumes** ou d'**eau**
⅛ de c. à c. de **poivre
blanc** moulu
4 rondelles de **citron
vert** pour servir
feuilles de **coriandre**
pour décorer

Faites chauffer 1 cuillerée à soupe d'huile dans un wok et faites-y dorer l'ail 1 à 2 minutes à feu moyen. Ajoutez l'oignon, la carotte et les petits pois et faites cuire 3 à 4 minutes. Ajoutez le riz, le saumon, le gingembre et la sauce soja et faites revenir 4 à 5 minutes. Goûtez et ajustez l'assaisonnement. Divisez en 4 portions et gardez au chaud.

Mélangez les œufs, le bouillon et le poivre dans un bol à l'aide d'un fouet. Divisez en 4 portions.

Faites chauffer une poêle antiadhésive à feu moyen et huilez-la. Versez une portion de la préparation aux œufs et répartissez-la dans la poêle en l'inclinant pour former une omelette très fine. Faites cuire pendant 1 à 2 minutes jusqu'à ce qu'elle soit presque prise. Retournez-la et faites-la dorer de l'autre côté.

Placez une portion du riz frit sur une moitié de l'omelette et repliez l'autre moitié par-dessus. Gardez au chaud pendant que vous préparez les 3 autres omelettes. Placez une omelette sur chaque assiette. Garnissez de feuilles de coriandre et ajoutez une rondelle de citron vert à côté. Servez avec de la salade ou des légumes vapeur ou sautés.

Pour une omelette au riz sauté et au crabe, ajoutez 1 cuillerée à soupe de pâte de curry et faites revenir avec l'huile (en supprimant l'ail). Remplacez le saumon par 125 g de chair de crabe en conserve et faites cuire comme indiqué ci-dessus. Placez 2 pinces de crabe cuites à côté de chaque omelette avant de servir.

riz au curry et aux légumes

Pour **4 personnes**
Préparation **15 minutes**
Cuisson **18 minutes**

300 g de **légumes variés**
  (aubergines thaïes, fines
  asperges, courgettes,
  haricots verts, pois mange-
  tout, champignons et mini
  épis de maïs doux)
1 ½ à 2 c. à s. d'**huile
  de tournesol**
1 ½ à 2 c. à s. de **pâte
  de curry rouge**
  (voir page 94)
200 ml de **lait de coco**
150 g de **pousses
  de bambou** en conserve,
  égouttées
2 ½ c. à s. de **sauce
  soja** claire
25 g de **sucre de noix
  de coco**, **de palme** ou
  roux, ou 2 c. à s. de **miel**
  liquide
500 g de **riz jasmin** cuit
  (voir page 128), placé au
  réfrigérateur toute la nuit

Pour décorer
feuilles de **coriandre**
quelques lamelles
  de **piment rouge**

Détaillez les aubergines en quartiers et les asperges
en tronçons de 5 cm, coupez les courgettes en
rondelles, équeutez les haricots verts et les pois
mange-tout puis coupez-les en biais. Détaillez
les champignons en quatre s'ils sont gros.

Faites chauffer l'huile dans un wok ou une grande
poêle et faites revenir la pâte de curry à feu moyen
3 à 4 minutes ou jusqu'à ce qu'elle soit odorante.

Ajoutez les aubergines et faites-les revenir 3 à
4 minutes. Ajoutez le lait de coco et le reste des
légumes, les pousses de bambou, la sauce soja
et le sucre ou le miel, et faites cuire 5 à 6 minutes,
en remuant doucement de temps en temps.
Incorporez le riz avec précaution et réchauffez
3 à 4 minutes. Goûtez et ajustez l'assaisonnement.

Dressez sur 4 assiettes chaudes et garnissez
de feuilles de coriandre et de lamelles de piment.

Pour du riz au curry et aux haricots, remplacez
les légumes variés par 250 g de mélange de haricots
en conserve, égouttés. Utilisez de la pâte de curry
verte au lieu de la rouge (voir page 202). Une fois
que la pâte est odorante, ajoutez le lait de coco, les
pousses de bambou, la sauce soja, le sucre ou le miel
et le mélange de haricots. Faites cuire 2 à 3 minutes,
ajoutez le riz et mélangez.

riz au porc et aux haricots épicés

Pour **4 personnes**
Préparation **15 minutes**
Cuisson **18 minutes**

1 ½ à 2 c. à s. d'**huile
de tournesol**
2 ou 3 c. à s. de **pâte
de curry rouge**
(voir page 94)
375 g de **filets de porc**
coupés en fines tranches
250 g de **haricots kilomètre**
ou de **haricots verts**,
coupés en tronçons
de 2,5 cm en biais
15 g de **sucre de noix
de coco**, de **palme**
ou **roux**, ou 1 c. à s.
de **miel** liquide
750 g de **riz jasmin** cuit
(voir page 128), placé au
réfrigérateur toute la nuit
1 ½ c. à s. de **sauce
de poisson**
3 ou 4 **feuilles de kaffir**
finement ciselées
pour décorer

Faites chauffer l'huile dans un wok ou une grande poêle et faites revenir la pâte de curry à feu moyen 3 à 4 minutes jusqu'à ce qu'elle soit odorante.

Ajoutez le porc et faites-le revenir 4 à 5 minutes. Ajoutez les haricots, le sucre ou le miel et faites cuire en remuant 4 à 5 minutes de plus. Incorporez le riz et la sauce de poisson et faites revenir 3 à 4 minutes. Goûtez et ajustez l'assaisonnement.

Dressez sur 4 assiettes chaudes et garnissez de feuilles de kaffir.

Pour préparer du riz aux légumes épicés, remplacez le porc et les haricots kilomètre par 625 g de mélange de pois croquants et de mini épis de maïs doux. Supprimez la sauce de poisson. Une fois que la pâte de curry est odorante, ajoutez les pois croquants et le maïs doux et faites revenir 3 à 4 minutes. Ajoutez le riz et 2 ou 2 ½ cuillerées à soupe de sauce soja claire et faites cuire en remuant 3 à 4 minutes de plus pour réchauffer le riz.

plats
végétariens

légumes sautés au tofu

Pour **4 à 6 personnes**
Préparation **15 minutes**
Cuisson **13 minutes**

500 g de **légumes variés**
(poivron rouge ou jaune,
carottes, champignons,
pois mange-tout, haricots
verts, mini épis de maïs
doux et pousses de soja)
1 ½ à 2 c. à s. d'**huile
de tournesol**
2 ou 3 gousses d'**ail** émincées
2,5 cm de racine
de **gingembre** frais,
épluchée et finement râpée
2 c. à s. de **bouillon
de légumes** ou d'**eau**
2 ½ c. à s. de **sauce
soja** claire
625 g de **tofu ferme**,
égoutté et coupé en dés
de 2,5 cm
feuilles de **coriandre**
pour décorer

Épépinez le poivron et coupez-le en morceaux de la taille d'une bouchée. Épluchez et détaillez les carottes en allumettes. Équeutez les pois mange-tout et les haricots verts puis coupez-les en diagonale.

Faites chauffer l'huile dans un wok ou une grande poêle et faites-y légèrement brunir l'ail à feu moyen 3 à 4 minutes.

Ajoutez le poivron et les champignons et faites revenir pendant 3 à 4 minutes. Ajoutez le reste des légumes, le gingembre, le bouillon et la sauce soja et faites cuire en remuant pendant 3 à 4 minutes. Incorporez le tofu et réchauffez pendant 2 à 3 minutes, en remuant doucement et en veillant à ce que les dés de tofu conservent leur forme. Goûtez et ajustez l'assaisonnement.

Dressez dans 4 bols et garnissez de feuilles de coriandre.

Pour du tofu sauté au brocoli, remplacez les légumes variés par 500 g de bouquets de brocoli. Faites revenir le tofu en plusieurs fois dans un peu d'huile 1 à 2 minutes de chaque côté — l'extérieur doit être croustillant et l'intérieur encore tendre —, en ajoutant de d'huile si besoin. Faites blanchir les bouquets de brocoli dans de l'eau bouillante 1 à 2 minutes, égouttez-les et placez-les dans un récipient rempli d'eau, puis égouttez-les de nouveau. Faites revenir les bouquets de brocoli, le gingembre, le bouillon et la sauce soja claire après avoir fait dorer l'ail. Ajoutez le tofu à la fin de la cuisson.

champignons sautés au gingembre

Pour **4 personnes**
(avec 2 autres plats
principaux)
Préparation **10 minutes**
+ trempage
Cuisson **7 à 8 minutes**

1 petite poignée de
champignons noirs séchés
1 ½ c. à s. d'**huile**
de tournesol
3 gousses d'**ail** émincées
500 g de **champignons**
variés (pleurotes, shiitake
et champignons de Paris)
1 petit **oignon** coupé en six
3 c. à s. de **bouillon**
de légumes ou d'**eau**
2 à 2 ½ c. à s. de **sauce**
d'huître
5 cm de racine
de **gingembre** frais,
épluchée et émincée
2 **ciboules** émincées
feuilles de **coriandre**
pour décorer

Faites tremper les champignons noirs dans de l'eau
bouillante 3 à 4 minutes, puis égouttez-les. Ôtez les
pieds fibreux et jetez-les.

Faites chauffer l'huile dans un wok ou une grande
poêle et faites-y dorer l'ail à feu moyen.

Coupez les gros champignons en deux et retirez les
pieds fibreux. Ajoutez tous les champignons, l'oignon,
le bouillon, 2 cuillerées à soupe de sauce d'huître et le
gingembre dans la poêle et faites revenir 4 à 5 minutes.
Goûtez et ajustez l'assaisonnement, en utilisant le reste
de sauce d'huître si nécessaire.

Dressez dans des assiettes de service, garnissez
de ciboules et de feuilles de coriandre et servez
immédiatement.

**Pour des champignons épicés aux châtaignes
d'eau,** remplacez les champignons noirs par une
petite quantité de champignons blancs. Après avoir
fait dorer l'ail, ajoutez 1 ½ ou 2 cuillerées à soupe
de pâte au piment grillé et l'oignon, puis faites revenir
3 à 4 minutes. Ajoutez les champignons et 150 g de
châtaignes d'eau en conserve, coupées en tranches,
puis suivez la recette ci-dessus, en ajoutant ½ cuillerée
à soupe de sauce soja claire.

curry de taro et asperges

Pour **4 personnes**
Préparation **10 minutes**
Cuisson **environ 25 minutes**

500 g de **taro**, épluché
  et coupé en morceaux
  de 1 cm
1 ½ à 2 c. à s. d'**huile
  de tournesol**
2 ou 3 c. à s. de **pâte
  de curry Panang**
30 **baies de Goji**
  séchées (facultatif)
150 g de fines **asperges**,
  coupées en tronçons
  de 5 cm
200 ml de **lait de coco**
275 ml de **bouillon
  de légumes**
2 ½ c. à s. de **sauce soja**
  claire
25 g de **sucre de noix
  de coco**, **de palme** ou
  roux, ou 2 c. à s. de **miel**
  liquide
4 **tomates cerises**, avec
  le pédoncule si possible
2 ou 3 **feuilles de kaffir**
  déchirées en deux

Pour décorer
feuilles de **coriandre**
quelques lamelles
  de **piment rouge**

Faites cuire le taro dans une casserole d'eau bouillante 8 à 10 minutes, puis égouttez-le.

Faites chauffer l'huile dans un wok ou une casserole. Faites revenir la pâte de curry et les baies de Goji (si vous en utilisez) à feu moyen 3 à 4 minutes.

Ajoutez les queues d'asperges, le lait de coco, le bouillon, la sauce soja, le sucre ou le miel et faites cuire 2 à 3 minutes. Ajoutez les pointes d'asperges et poursuivez la cuisson 2 à 3 minutes. Incorporez le taro cuit et réchauffez 1 à 2 minutes. Ajoutez les tomates et les feuilles de kaffir pendant la dernière minute de cuisson. Goûtez et ajustez l'assaisonnement.

Dressez dans 4 bols et garnissez de feuilles de coriandre et de lamelles de piment.

Pour préparer une pâte de curry Panang, équeutez, épépinez et hachez 2 ou 3 piments rouges séchés et faites-les tremper dans de l'eau bouillante 3 à 4 minutes, puis égouttez-les. Pilez ou mixez-les avec une tige de citronnelle de 12 cm coupée en petits morceaux, 2,5 cm de galanga gratté et émincé, 4 gousses d'ail hachées, 3 échalotes hachées, 3 ou 4 racines et tiges de coriandre hachées, 3 feuilles de kaffir ciselées, 1 cuillerée à café de pâte de crevettes, 1 cuillerée à café de cumin moulu et 1 cuillerée à café de coriandre moulue jusqu'à la formation d'une pâte. Pour une version végétarienne, vous pouvez supprimer la pâte de crevettes.

champignons et pois mange-tout

Pour **2 personnes**
Préparation **10 minutes**
   + trempage
Cuisson **4 à 5 minutes**

10 **shiitake** séchés
1 ½ c. à s. d'**huile**
   de tournesol
2 gousses d'**ail** émincées
175 g de **mini épis**
   de maïs doux, coupés
   en tranches en biais
150 g de **pousses**
   de bambou en conserve,
   égouttées
175 g de **pois mange-tout**
   équeutés
1 poignée de **pousses**
   de soja
2 à 2 ½ c. à s. de **sauce**
   soja claire
2 c. à s. de **bouillon**
   de légumes ou d'**eau**
poivre noir moulu,
   à votre goût

Faites tremper les shiitake dans de l'eau bouillante
10 minutes, puis égouttez-les et coupez-les finement.

Faites chauffer l'huile dans un wok et faites-y dorer l'ail
à feu moyen. Ajoutez tout le reste des ingrédients,
l'un après l'autre. Faites revenir à feu vif 2 à 3 minutes,
puis transvasez dans un plat de service.

Servez immédiatement.

Pour des nouilles aux champignons et au chou,

remplacez les mini épis de maïs doux, les pousses
de bambou et les pois mange-tout par 2 petites
carottes détaillées en allumettes, 1 poivron rouge
épépiné et coupé en fines lanières et 300 g de feuilles
de chou, grossièrement hachées et sans les tiges.
Faites cuire 350 g de nouilles aux œufs séchées dans
de l'eau bouillante 8 à 10 minutes ou en suivant les
instructions de l'emballage, puis égouttez-les.
Faites brunir légèrement l'ail et faites revenir les carottes,
le poivron rouge, le chou et les shiitake 2 à 3 minutes.
Ajoutez les nouilles, les pousses de soja et 2 ½ ou
3 cuillerées à soupe de sauce soja claire, et faites cuire
3 à 4 minutes de plus pour réchauffer les nouilles.

gingembre et tofu frits à l'aigre-douce

Pour **4 personnes**
Préparation **15 minutes**
Cuisson **30 à 40 minutes**

huile de tournesol
pour la friture
300 g de racine de **gingembre**
frais, épluchée et finement
hachée
500 g de **tofu ferme**,
égoutté et coupé en dés
de 1 cm
2 gousses d'**ail** émincées
40 g de **sucre de noix**
de coco, de palme
ou **roux**, ou 3 c. à s.
de **miel** liquide
2 c. à s. de **sauce soja** claire
2 c. à s. de **bouillon**
de légumes ou d'eau
3 c. à s. de **jus de tamarin**
(voir page 90) ou 2 c. à s.
de **jus de citron vert**

Faites chauffer 5 cm d'huile dans un wok à feu moyen. Faites frire tout le gingembre sans remuer 6 à 8 minutes, puis en remuant jusqu'à ce qu'il soit doré. Égouttez sur du papier absorbant.

Plongez doucement les dés de tofu dans l'huile, en plusieurs fois, et faites-les frire 5 à 6 minutes. Égouttez-les sur du papier absorbant.

Videz la plupart de l'huile, en laissant 1 ½ cuillerée à soupe dans le wok. Faites-y dorer l'ail 1 à 2 minutes à feu moyen. Ajoutez le sucre ou le miel, la sauce soja, le bouillon ou l'eau et le jus de tamarin ou le jus de citron vert, et remuez à feu doux pour épaissir la préparation. Goûtez et ajustez l'assaisonnement. Ajoutez le tofu et la plupart du gingembre, et mélangez.

Dressez dans 4 bols et garnissez avec le reste de gingembre croustillant. Servez avec un curry rouge ou vert.

Pour préparer des champignons frits caramélisés, remplacez le tofu par 500 g de pleurotes, émincés et séchés à l'air libre pendant 4 à 5 heures. Coupez finement 50 g d'échalotes. Supprimez le gingembre et le jus de tamarin ou le jus de citron vert. Faites frire les échalotes et les champignons séchés séparément jusqu'à ce qu'ils soient croustillants. Poursuivez comme indiqué ci-dessus, puis ajoutez les champignons et mélangez avec la sauce légèrement épaissie et ¼ de cuillerée à café de poivre blanc moulu. Remuez constamment pendant 4 à 5 minutes. Parsemez d'échalotes croustillantes avant de servir.

curry vert au lait de soja

Pour **4 personnes**
Préparation **15 minutes**
Cuisson **25 minutes**

425 g de **légumes variés**
(citrouille, potiron, courge,
aubergines thaïes, mini
épis de maïs doux,
courgettes, champignons,
asperges et haricots verts)
1 ½ à 2 c. à s. d'**huile
de tournesol**
2 ou 3 c. à s. de **pâte
de curry vert**
25 **baies de Goji**
séchées (facultatif)
475 ml de **lait de soja**
3 c. à s. de **sauce soja** claire
15 g de **sucre de noix
de coco, de palme** ou
roux, ou 1 c. à s. de **miel**
liquide
150 g d'**ananas**
ou de tranches d'ananas
au sirop léger en conserve,
coupées en morceaux

Pour décorer
feuilles de **basilic thaï**
quelques lamelles
de **piment rouge**

Épluchez et coupez la citrouille, le potiron et la courge en
tranches, puis en dés de 2,5 cm. Détaillez les aubergines
en quartiers, coupez les courgettes et les champignons
en tranches. Détaillez les asperges en tronçons de 2,5 cm
et équeutez les haricots verts. Faites cuire la citrouille,
le potiron et la courge dans de l'eau bouillante 8 à
10 minutes à feu moyen, puis égouttez-les.

Faites chauffer l'huile dans un wok ou une casserole.
Faites revenir la pâte de curry et les baies de Goji 3 à
4 minutes à feu moyen. Ajoutez les aubergines,
les courgettes et les champignons et faites revenir 4 à
5 minutes. Ajoutez les asperges, le maïs doux et les
haricots verts et faites cuire en remuant 2 à 3 minutes.
Incorporez le lait de soja, la sauce soja, le sucre ou
le miel, la citrouille, le potiron et la courge cuits et
l'ananas et réchauffez 2 à 3 minutes, en remuant de
temps en temps. Goûtez et ajustez l'assaisonnement.

Dressez dans 4 bols et décorez de feuilles de basilic
thaï et de lamelles de piment.

Pour préparer une pâte de curry verte, mixez 3 ou
4 petits piments verts avec 1 tige de citronnelle de
12 cm, émincée, 2,5 cm de galanga gratté et émincé,
2 feuilles de kaffir hachées, 4 gousses d'ail hachées,
3 échalotes hachées, 3 racines et tiges de coriandre
hachées, 1 poignée de feuilles de coriandre, 1 poignée
de feuilles de basilic thaï, ¼ de cuillerée à café de poivre
blanc moulu, 1 cuillerée à café de pâte de crevettes,
1 cuillerée à café de coriandre moulue et 1 cuillerée
à café de cumin moulu jusqu'à la formation d'une pâte.

tofu doré à l'ail

Pour **4 personnes**
Préparation **15 minutes**
Cuisson **20 à 25 minutes**

5 ou 6 gousses d'**ail**
 grossièrement hachées
4 **racines et tiges**
 de coriandre
 grossièrement hachées
20 **grains de poivre noir**
4 c. à s. d'**huile**
 de tournesol
500 g de **tofu**, égoutté
 et coupé en dés de 2 cm,
 séchés
1 **poivron rouge** ou **jaune**,
 épépiné et coupé
 en morceaux de la taille
 d'une bouchée
1 cm de racine
 de **gingembre** frais,
 épluchée et finement râpée
1 ou 2 **ciboules** coupées
 en tronçons de 2,5 cm
2 ½ c. à s. de **sauce**
 soja claire

Pour décorer
feuilles de **coriandre**
quelques lamelles
 de **piment rouge**

À l'aide d'un pilon et d'un mortier, pilez l'ail et les racines et tiges de coriandre pour former une pâte. Ajoutez les grains de poivre et continuez à piler grossièrement.

Faites chauffer un peu d'huile dans une poêle antiadhésive et faites revenir doucement le tofu, en plusieurs fois, en laissant un peu d'espace entre les dés. Faites brunir légèrement chaque côté pendant 1 à 2 minutes. Ajoutez un peu d'huile dans la poêle à chaque fois avant d'ajouter les dés de tofu.

Faites chauffer le reste de l'huile dans un wok ou une grande poêle et faites revenir la pâte d'ail 3 à 4 minutes à feu moyen jusqu'à ce qu'elle soit odorante.

Ajoutez le poivron et faites revenir 3 à 4 minutes, puis incorporez le tofu, le gingembre, les ciboules et la sauce soja. Laissez cuire en remuant doucement 2 à 3 minutes de plus. Goûtez et ajustez l'assaisonnement.

Dressez sur des assiettes chaudes et garnissez de feuilles de coriandre et de lamelles de piment. Servez avec du riz bouilli ou disposez sur des nouilles.

Pour des champignons aux châtaignes d'eau et au gingembre, remplacez le tofu par 375 g de champignons variés et 75 g de châtaignes d'eau en conserve, égouttées et coupées en tranches. Ajoutez-les dans la poêle en même temps que le poivron et faites revenir 5 à 6 minutes. Incorporez le gingembre, les ciboules et la sauce soja claire, puis ajustez l'assaisonnement. Ajoutez encore un peu de sauce soja claire si nécessaire.

curry jungle de légumes

Pour **4 personnes**
Préparation **15 minutes**
Cuisson **20 minutes**

500 g de **légumes variés**
(citrouille, potiron,
courge, aubergines thaïes,
courgettes, champignons,
fines asperges, mini épis
de maïs doux, haricots
verts et feuilles de chou)
1,2 litre de **bouillon
de légumes**
2 ou 3 c. à s. de **pâte
de curry jungle**
20 à 25 **baies de Goji**
séchées (facultatif)
50 g de **krachaï** légèrement
gratté, finement râpé
3 ½ c. à s. de **sauce
soja** claire
2 ou 3 **feuilles de kaffir**
déchirées en deux
feuilles de **coriandre**
pour décorer

Épluchez la citrouille, le potiron et la courge, coupez-les
en tranches puis en dés de 1 cm. Coupez les aubergines
en quartiers et les courgettes et les champignons en
tranches. Détaillez les asperges en tronçons de 2,5 cm.
Équeutez les haricots verts et coupez-les en biais.
Hachez grossièrement les feuilles de chou.

Faites chauffer le bouillon avec la pâte de curry et les
baies de Goji (si vous en utilisez) dans une casserole
2 à 3 minutes à feu moyen jusqu'à ébullition. Ajoutez
la citrouille, le potiron et la courge et faites cuire 8 à
10 minutes. Ajoutez les aubergines, les courgettes,
les champignons et les asperges et faites cuire 3 à
4 minutes. Incorporez enfin le maïs doux, les haricots
verts, les feuilles de chou, le krachaï, la sauce soja et
les feuilles de kaffir puis faites cuire 1 à 2 minutes de
plus, en remuant de temps en temps. Goûtez et ajustez
l'assaisonnement.

Dressez dans 4 bols et garnissez de feuilles de coriandre.
Servez avec du riz.

Pour préparer de la pâte de curry jungle, pilez ou
mixez 3 ou 4 piments rouges frais hachés, équeutés,
1 tige de citronnelle de 12 cm coupée en petits
morceaux, 1 cm de galanga gratté et émincé, 4 gousses
d'ail hachées, 3 échalotes hachées et 3 ou 4 racines
et tiges de coriandre hachées jusqu'à la formation
d'une pâte.

légumes variés au sésame

Pour **4 personnes**
Préparation **15 minutes**
Cuisson **12 minutes**

500 g de **légumes variés**
  (mini carottes, bouquets
  de brocoli, fines asperges,
  poivron rouge ou jaune,
  courgettes, mini épis
  de maïs doux, pois
  mange-tout, haricots verts,
  champignons et feuilles
  de chou)
1 cm de racine
  de **gingembre** frais,
  épluchée et finement râpée
½ c. à s. de **graines
  de sésame blanc**
1 ½ à 2 c. à s. d'**huile
  de tournesol**
3 ou 4 gousses
  d'**ail** émincées
125 g de **pousses de soja**
2 c. à s. de **bouillon
  de légumes** ou d'eau
2 à 2 ½ c. à s. de **sauce
  soja** claire
2 **ciboules** coupées
  en tronçons de 2,5 cm
quelques **tomates cerises**,
  avec le pédoncule
  si possible
feuilles de **coriandre**
  pour décorer

Détaillez les asperges en tronçons de 5 cm en séparant les queues et les pointes. Épépinez le poivron et coupez-le en morceaux. Coupez les courgettes en fines rondelles. Équeutez les pois mange-tout et les haricots verts et coupez-les en biais. Hachez les feuilles de chou.

Faites blanchir les carottes et le brocoli dans de l'eau bouillante 1 minute. Ajoutez les queues d'asperges et poursuivez la cuisson 1 minute. Égouttez les légumes et placez-les dans un récipient rempli d'eau froide pour qu'ils soient croquants. Égouttez-les et mélangez-les avec tous les autres légumes et le gingembre.

Faites griller les graines de sésame à sec dans une poêle antiadhésive 3 à 4 minutes à feu moyen, en remuant. Transvasez dans un petit récipient.

Faites chauffer l'huile dans la même poêle et faites-y dorer l'ail 1 à 2 minutes à feu moyen. Ajoutez tous les légumes et les pousses de soja, et faites revenir 3 à 4 minutes. Incorporez le bouillon et la sauce soja, puis ajoutez les ciboules et les tomates cerises dans les dernières secondes de cuisson, en veillant à ce que les tomates conservent leur forme. Goûtez et ajustez l'assaisonnement.

Disposez sur des assiettes, parsemez de graines de sésame et décorez de feuilles de coriandre.

curry de potiron aux haricots verts

Pour **4 personnes**
Préparation **10 minutes**
Cuisson **20 minutes**

500 g de **potiron** épluché
  et coupé en dés de 1 cm
1 ½ à 2 c. à s. d'**huile**
  de tournesol
2 ou 3 c. à s. de **pâte**
  de curry Massaman
  (voir page 116)
30 **baies de Goji**
  séchées (facultatif)
1 **oignon** coupé
  en fines rondelles
25 g de **cacahuètes** grillées
50 g de **haricots verts**,
  équeutés et coupés en biais
400 ml de **lait de soja**
  bien remué
2 ½ c. à s. de **sauce**
  soja claire
40 g de **sucre de noix**
  de coco, de **palme**
  ou **roux**, ou 3 c. à s.
  de **miel** liquide
2 c. à s. de **jus de citron vert**
2 **tomates** moyennes
  coupées en quartiers
quelques lamelles de **piment**
  rouge pour décorer

Faites cuire le potiron dans une casserole d'eau
bouillante 8 à 10 minutes, puis égouttez-le.

Faites chauffer l'huile dans une casserole et faites
revenir la pâte de curry, les baies de Goji (si vous en
utilisez), l'oignon et les cacahuètes 3 à 4 minutes à feu
moyen jusqu'à ce que le mélange soit odorant.

Ajoutez les haricots verts et faites cuire 2 à 3 minutes.
Ajoutez le lait de soja, la sauce soja, le sucre ou le miel, le
jus de citron vert et le potiron, et réchauffez 2 à 3 minutes
– le sucre doit être dissous –, en remuant de temps en
temps. Goûtez et ajustez l'assaisonnement. Ajoutez
les tomates dans les dernières secondes de cuisson.

Répartissez dans 4 bols et garnissez de quelques
lamelles de piment.

Pour un curry de légumes et de châtaignes d'eau,

remplacez le potiron par 500 g de légumes comme
les pommes de terre, la courge, le radis blanc ou
le taro, coupés en dés. Faites cuire les dés de légumes
avant de les ajouter au curry, en suivant les indications
ci-dessus. Supprimez les haricots verts et remplacez-
les par 50 g de châtaignes d'eau en conserve, finement
coupées. Poursuivez la recette comme indiqué
ci-dessus.

curry de légumes au cinq-épices

Pour **4 personnes**
Préparation **15 minutes**
Cuisson **17 minutes**

625 g de mélange
de **citrouille, patates
douces** et **taro**
50 g de mélange
de **mini épis de maïs
doux, haricots verts**
et **pois mange-tout**
1 ½ à 2 c. à s. d'**huile
de tournesol**
2 ou 3 c. à s. de **pâte
de curry rouge**
(voir page 94)
2 c. à c. de **cinq-épices**
25 à 50 g de **cacahuètes**
grillées
8 petites **échalotes**
épluchées
200 ml de **lait de coco**
350 ml de **bouillon
de légumes** ou d'eau
2 ½ c. à s. de **sauce
soja** claire
40 g de **sucre de noix
de coco, de palme** ou
roux, ou 3 c. à s. de **miel**
liquide
2 c. à s. de **jus de citron vert**
4 **tomates cerises**
quelques lamelles
de **piment rouge** pour
décorer

Épluchez la citrouille, les patates douces et le taro,
puis détaillez-les en dés de 1 cm. Coupez les mini épis
de maïs doux en deux en biais et équeutez les haricots
verts et les pois mange-tout.

Faites chauffer l'huile dans un wok ou une casserole
et faites revenir la pâte de curry, le cinq-épices,
les cacahuètes et les échalotes 3 à 4 minutes à feu
moyen jusqu'à ce que le mélange soit odorant.

Ajoutez le lait de coco, le bouillon, la citrouille, les patates
douces et le taro, la sauce soja, le sucre ou le miel et
faites cuire 8 à 10 minutes jusqu'à ce que les légumes
soient tendres, en remuant de temps en temps. Ajoutez
les mini épis de maïs, les haricots verts, les pois mange-
tout et le jus de citron vert et poursuivez la cuisson 2 à
3 minutes. Goûtez et ajustez l'assaisonnement. Ajoutez
les tomates dans les dernières secondes de cuisson,
en veillant à ce qu'elles conservent leur forme.

Dressez dans 4 bols et garnissez de lamelles
de piment.

Pour un curry de tofu au cinq-épices, remplacez
la citrouille, les patates douces et le taro par du tofu
ferme, détaillé en dés de 1 cm. Une fois que la pâte
de curry est odorante, ajoutez le lait de coco, le bouillon,
la sauce soja, le sucre ou le miel, les mini épis de maïs,
les haricots verts et les pois mange-tout, et faites cuire
2 à 3 minutes. Incorporez le jus de citron vert et le
tofu, réchauffez 2 à 3 minutes puis poursuivez comme
indiqué ci-dessus.

omelette farcie

Pour **1 personne**
Préparation **8 à 10 minutes**
   + trempage
Cuisson **8 à 10 minutes**

2 ½ c. à s. d'**huile
   de tournesol**
2 gousses d'**ail** hachées
1 **échalote** finement hachée
4 **haricots verts** hachés
2 **asperges** hachées
3 **mini épis de maïs
   doux** émincés
1 **tomate** coupée en dés
4 **shiitake** séchés,
   trempés, égouttés
   et coupés en tranches
2 c. à c. de **sauce
   soja** claire
1 **œuf** battu avec 1 pincée
   de sel et de poivre
basilic croustillant
   pour décorer (facultatif)

Faites chauffer 1 cuillerée à soupe d'huile dans
un wok, ajoutez l'ail et l'échalote et faites-les revenir
1 ou 2 minutes, ou jusqu'à ce que l'ail soit légèrement
doré. Ajoutez les haricots, les asperges, le maïs doux,
la tomate, les shiitake et la sauce soja et faites cuire
3 à 4 minutes en remuant. Réservez la garniture hors
du wok, et nettoyez celui-ci avec du papier absorbant.

Versez le reste de l'huile dans le wok, sur la base
et les côtés ; enlevez tout excédent. Versez l'œuf et
répartissez-le dans le wok en l'inclinant pour former
une grande omelette fine. Assurez-vous qu'elle ne
colle pas au wok, en ajoutant un peu plus d'huile
si nécessaire.

Disposez la garniture au milieu lorsque l'omelette
est presque prise, et repliez les deux côtés et les
extrémités pour former un rectangle, en veillant
à ce que le dessous de l'omelette n'attache pas.

Transvasez délicatement l'omelette dans un plat
de service. Garnissez de basilic croustillant, si vous
le souhaitez, et servez immédiatement.

Pour préparer du basilic croustillant, faites chauffer
2 cuillerées à soupe d'huile d'arachide dans un wok.
Ajoutez 25 g de feuilles de basilic thaï frais et 1 petit
piment rouge frais détaillé en petits dés puis faites
revenir 1 minute jusqu'à ce que le basilic soit croustillant.
Sortez-le avec une écumoire et égouttez-le sur du papier
absorbant.

desserts

biscuits fourrés aux haricots noirs

Pour **20 biscuits**
Préparation **1 h 30**
Cuisson **25 à 30 minutes**

375 g de **haricots noirs**
  en conserve, égouttés
300 g de **sucre** en poudre
4 c. à s. d'**huile de tournesol**
2 **jaunes d'œufs** légèrement
  battus pour badigeonner

Pâte A
250 g de **farine**
  à levure incorporée
1 c. à s. de **sucre** en poudre
¼ de c. à c. de **sel de mer**
6 c. à s. d'**huile de tournesol**
100 ml d'**eau**

Pâte B
150 g de **farine à levure**
  incorporée
5 c. à s. d'**huile de tournesol**
  + un peu pour badigeonner
  la plaque de four
2 c. à s. d'**eau**

Mixez les haricots noirs jusqu'à l'obtention d'une pâte. Mélangez cette pâte, le sucre et l'huile dans une casserole et remuez 10 à 15 minutes à feu moyen pour former une boule. Laissez refroidir, puis façonnez 20 boulettes.

Pour la pâte A, mélangez la farine, le sucre et le sel dans un récipient. Creusez un puits et versez l'huile. Versez l'eau et pétrissez. Formez 10 boulettes puis couvrez-les de film alimentaire.

Pour la pâte B, mélangez la farine et l'huile dans un récipient. Ajoutez progressivement l'eau et pétrissez. Formez 10 boulettes puis couvrez-les de film alimentaire.

Prenez une boulette de pâte A et aplatissez-la pour former un disque. Enveloppez une boulette de pâte B avec ce disque puis écrasez-les ensemble ; étalez pour former un rectangle. Roulez le bord le plus petit en serrant bien pour former un tube, puis étalez la pâte dans la longueur pour former un rectangle. Répétez l'opération. Roulez pour former un tube et coupez-le en deux. Prenez une moitié et posez-la verticalement pour qu'elle repose sur la partie sectionnée, puis étalez-la pour former une fine feuille ronde. Disposez une boule de pâte aux haricots noirs au milieu. Rassemblez les bords et scellez, puis placez sur une plaque de four légèrement huilée, côté scellé vers le bas. Répétez l'opération avec le reste de pâte et de garniture : vous devez obtenir 20 biscuits.

Badigeonnez chaque biscuit de jaune d'œuf et faites cuire 25 à 30 minutes dans un four préchauffé à 180 °C. Servez chaud ou tiède.

riz gluant à la mangue

Pour **4 personnes**
Préparation **10 minutes**
 + trempage et repos
Cuisson **20 à 30 minutes**

250 g de **riz gluant blanc**
100 ml de **lait de coco**
50 ml d'**eau**
75 g de **sucre de palme**
 ou **de noix de coco**
¼ de c. à c. de **sel**
4 **mangues** mûres

Glaçage à la crème
 de coco (facultatif)
100 ml de **lait de coco**
½ c. à c. de **farine**
1 pincée de **sel**

Faites tremper le riz dans un récipient rempli d'eau pendant 3 heures. Égouttez, puis étalez le riz dans un panier vapeur tapissé d'une mousseline.

Remplissez d'eau un wok ou un cuit-vapeur et portez à ébullition. Posez le panier vapeur sur l'eau et faites cuire à la vapeur 20 à 25 minutes jusqu'à ce que le riz gonfle.

Mélangez le lait de coco, l'eau, le sucre et le sel dans une petite casserole jusqu'à homogénéité.

Transvasez le riz chaud dans un récipient et mélangez-le à la préparation au lait de coco. Couvrez et laissez reposer 10 minutes.

Mélangez le lait de coco, la farine et le sel pour le glaçage et faites chauffer doucement dans une casserole 2 à 3 minutes.

Épluchez les mangues, coupez-les en fines tranches et disposez-les sur des assiettes. Servez avec le riz gluant et arrosez de glaçage, si vous le souhaitez.

Pour préparer du riz gluant au fruit du jacquier
(khanun), remplacez les mangues par 25 à 30 gousses de fruits du jacquier mûrs. Découpez un chapeau sur le haut de chacune et enlevez les graines. À l'aide d'une cuillère à café, garnissez l'intérieur des gousses avec le riz gluant au lait de coco. Servez à température ambiante avec de la glace à la noix de coco.

flan à la noix de coco

Pour **4 personnes**
Préparation **10 minutes**
  + repos
Cuisson **10 à 15 minutes**

150 ml de **lait de coco**
75 g de **sucre de noix
  de coco, de palme** ou
  roux, ou 5 c. à s. de **miel**
  liquide
2 gros **œufs**
¼ de c. à c. de **sel de mer**
1 c. à c. d'**extrait de vanille**

Mélangez le lait de coco, le sucre ou le miel, les œufs, le sel et l'extrait de vanille. Laissez reposer jusqu'à dissolution du sucre (vous pouvez préparer la crème quelques heures à l'avance ou la veille au soir pour vous assurer que le sucre soit totalement dissous). **Remplissez** à moitié un wok ou un cuit-vapeur d'eau, couvrez et portez à grosse ébullition à feu vif.

Pendant ce temps, passez la préparation au tamis au-dessus d'un récipient. Versez dans des bols individuels ou des ramequins, en les remplissant aux trois quarts (ou bien utilisez un plat de cuisson creux rentrant dans le panier vapeur).

Placez les bols remplis dans le panier vapeur ou sur la grille. Couvrez, baissez le feu sur moyen et faites cuire 10 à 15 minutes (augmentez le temps de cuisson si vous utilisez un plat). Servez frais ou à température ambiante.

Pour un flan à la noix de coco et à la citronnelle,
écrasez légèrement 2 tiges de citronnelle puis coupez-les en tranches grossières. Mélangez avec 200 ml de lait de coco, 100 g de sucre et tous les autres ingrédients pour libérer les arômes, tout en écrasant la citronnelle. Retirez-la lorsque vous passez la crème au tamis.

beignets de banane

Pour **4 personnes**
Préparation **8 minutes**
Cuisson **10 minutes**

huile de tournesol
  pour la friture
4 ou 5 **bananes**
  ou 14 ou 15 **bananes**
  plantains
sucre en poudre pour servir

Pâte
125 g de **farine**
  à levure incorporée
1 c. à c. de **levure chimique**
2 c. à c. de **sucre**
¼ de c. à c. de **sel**
25 g de **noix de coco**
  fraîche ou séchée, râpée
175 ml d'**eau**

Préparez la pâte en mélangeant la farine, la levure, le sucre, le sel et la noix de coco dans un récipient. Ajoutez l'eau et mélangez avec une fourchette ou une cuillère jusqu'à homogénéité.

Faites chauffer 7 cm d'huile dans un wok antiadhésif à feu moyen. Pendant ce temps, épluchez les bananes ou les plantains. Coupez chaque banane en deux dans le sens de la longueur, puis en tranches de 5 cm. Coupez les plantains en deux dans le sens de la longueur puis divisez chaque moitié en deux. Pour savoir si l'huile est prête, plongez-y un peu de pâte : elle doit grésiller.

Enrobez les morceaux de banane de pâte puis plongez-les délicatement dans l'huile chaude, 6 ou 7 morceaux à la fois. Faites-les frire à température moyenne 6 à 7 minutes jusqu'à ce qu'ils soient dorés. Sortez les beignets de l'huile avec une écumoire puis égouttez-les sur du papier absorbant.

Disposez les beignets sur un plat de service et servez immédiatement, saupoudrés de sucre si vous le souhaitez.

Pour des beignets aux patates douces et au sésame, remplacez les bananes par 750 g de patates douces. Coupez les patates douces en tranches d'environ 1 x 10 cm. Ajoutez 2 cuillerées à soupe de graines de sésame dans la pâte. Plongez les patates douces dans la pâte puis faites-les frire 5 à 6 minutes. Vérifiez si elles sont prêtes en en cassant une en deux : si elle est tendre à l'intérieur, elle est cuite.

glace citronnelle noix de coco

Pour **4 ou 5 personnes**
Préparation **10 minutes**
 + infusion et congélation
Cuisson **15 minutes**

3 tiges de **citronnelle**
 de 12 cm, légèrement
 écrasées et grossièrement
 coupées
200 ml de **lait de coco**
200 ml de **crème fraîche
 épaisse**
1 gros **œuf**
2 **jaunes d'œufs**
125 g de **sucre en poudre**
 ou de **sucre roux fin**
1 pincée de **sel de mer**

Mélangez la citronnelle avec le lait de coco, en l'écrasant pour en libérer le parfum. Laissez infuser 30 minutes. Écrasez encore une fois, puis égouttez et jetez-la.

Remplissez un wok ou une grande casserole d'eau et portez à ébullition à feu moyen. Pendant ce temps, versez le lait de coco dans une casserole avec la crème fraîche, remuez 3 à 4 minutes à feu doux sans faire bouillir, puis réservez.

Placez l'œuf, les jaunes d'œufs, le sucre et le sel dans un grand récipient résistant à la chaleur sur l'eau bouillante. À l'aide d'un batteur électrique, battez la préparation 3 à 4 minutes jusqu'à ce qu'elle mousse et épaississe. Ajoutez peu à peu la préparation à la citronnelle et au lait de coco puis mélangez 5 à 6 minutes de plus pour obtenir une crème fine. Laissez refroidir, versez dans un récipient en plastique et congelez 3 heures au moins jusqu'à ce que la préparation soit à moitié prise.

Sortez la glace et ratissez avec une fourchette une ou deux fois pendant la congélation. Couvrez et congelez complètement. Sortez la glace du congélateur au moins 10 à 15 minutes avant de la servir pour qu'elle ramollisse légèrement. Servez nature ou avec du riz gluant blanc (voir page 220).

boules de coco

Pour **12 boules**
Préparation **15 minutes**
 + repos
Cuisson **20 minutes**

250 g de **noix de coco**
 fraîche ou séchée, râpée,
 ramollie avec un peu
 d'eau froide
300 g de **sucre**
300 ml d'**eau**

Mélangez la noix de coco, le sucre et l'eau dans une casserole puis remuez à feu doux jusqu'à ce que le sirop soit presque évaporé.

Disposez 12 cuillerées à soupe de la préparation sur une plaque de four tapissée de papier sulfurisé, en les façonnant en forme de boules au fur et à mesure.

Laissez refroidir 1 heure pour que l'extérieur durcisse un peu, et que l'intérieur reste tendre.

Pour une sauce caramélisée à la noix de coco,
suivez la méthode indiquée ci-dessus, en ajoutant $\frac{1}{8}$ de cuillerée à café de sel et en cuisant à feu doux jusqu'à la formation d'une sauce caramélisée.
Ne la laissez pas épaissir au point de durcir. Servez cette sauce sur du riz gluant noir ou du riz gluant vapeur au lait de coco.

sorbet à la pastèque

Pour **4 à 6 personnes**
Préparation **10 minutes**
  + congélation

1,5 kg de chair de **pastèque**
  sucrée, épépinée
le **jus** de 1 **orange**
le **zeste** de ½ **orange**
1 cm de racine
  de **gingembre** frais,
  épluchée et émincée

Détaillez la pastèque en dés et placez-les dans un robot avec le jus d'orange, le zeste d'orange et le gingembre. Mixez 1 à 2 minutes jusqu'à homogénéité.

Versez la préparation dans un récipient adapté et placez au congélateur pendant 1 heure 30, ou jusqu'à ce qu'elle soit à moitié congelée. Sortez la préparation du congélateur et mixez-la légèrement dans le robot. Remettez-la dans le compartiment. Brassez encore deux fois au moins pendant la congélation. Le sorbet doit contenir beaucoup d'air, sans quoi il sera trop dur et gelé. Couvrez et congelez complètement.

Pour un sorbet au melon cantaloup et aux litchis, remplacez la pastèque par 1 melon cantaloup mûr de taille moyenne, épluché, épépiné et coupé en morceaux de 2,5 cm. Remplacez le jus et le zeste d'orange par le jus et le zeste de ½ citron vert. Mixez le cantaloup 2 à 3 minutes jusqu'à l'obtention d'une consistance lisse. Ajoutez la chair de 550 g de litchis en conserve (réservez le sirop) et mixez encore un peu, puis versez la préparation dans un récipient. Réchauffez le sirop de litchis avec 1 cm de racine de gingembre frais, finement râpée, pendant 2 à 3 minutes. Laissez refroidir avant de l'ajouter à la préparation au cantaloup et aux litchis. Fouettez deux fois pendant la congélation.

bananes à la crème de coco

Pour **4 personnes**
Préparation **10 minutes**
Cuisson **10 minutes**

400 ml de **lait de coco**
   en conserve
125 ml d'**eau**
50 g de **sucre en poudre**
   ou 4 c. à s. de **miel** liquide
5 **bananes** juste mûres
½ c. à c. de **sel de mer**

Faites chauffer le lait de coco, l'eau et le sucre ou
le miel dans une casserole à feu moyen 3 à 4 minutes.

Épluchez les bananes et coupez-les en tronçons
de 5 cm. Si vos bananes sont très petites, laissez-les
entières.

Ajoutez les bananes et le sel dans la casserole. Faites
cuire à feu doux-moyen pendant 4 à 5 minutes.

Répartissez les bananes et la crème de coco dans
4 bols et servez chaud ou à température ambiante.

Pour de la citrouille à la crème de coco,
remplacez les bananes par 375 g de citrouille,
épluchée et détaillée en allumettes et trempée dans
de l'eau avec un peu de jus de citron vert (pour éviter
l'oxydation). Faites chauffer le lait de coco avec
200 ml d'eau. Ajoutez la citrouille et faites-la cuire
8 à 10 minutes. Ajoutez le sucre et le sel puis faites
cuire jusqu'à ce que le sucre soit dissous.

riz gluant noir et flan aux œufs

Pour **4 personnes**
Préparation **10 minutes**
  + trempage et repos
Cuisson **environ
  50 minutes**

250 g de **riz gluant noir**
100 ml de **lait de coco**
50 ml d'**eau**
75 g de **sucre de noix de
coco** ou **de palme**

Flan
75 ml de **lait de coco**
5 gros **œufs**
250 g de **sucre de noix
  de coco** ou **de palme**,
  coupé en petits morceaux
  s'il est dur
1 c. à c. d'**extrait de vanille**

Faites tremper le riz dans un récipient rempli d'eau pendant au moins 3 heures ou toute une nuit.

Pour préparer le flan, mélangez le lait de coco, les œufs, le sucre et l'extrait de vanille jusqu'à ce que le sucre soit dissous. Passez la crème au tamis au-dessus d'un récipient jusqu'à ce qu'il soit rempli aux trois quarts. En faisant attention à ne pas vous brûler, introduisez le récipient dans le panier vapeur ou posez-le sur la grille ; laissez mijoter 10 à 15 minutes jusqu'à ce le flan soit pris sur les côtés, puis réservez. Laissez reposer à température ambiante pendant 30 minutes environ.

Égouttez le riz et étalez-le dans le même panier vapeur tapissé d'une double couche de mousseline. Couvrez et laissez cuire à frémissement pendant 30 à 35 minutes : le riz doit gonfler et être brillant et tendre. Vérifiez toutes les 10 minutes environ qu'il y a suffisamment d'eau, et ajoutez-en si besoin.

Mélangez le lait de coco, l'eau et le sucre et réservez jusqu'à ce que le sucre soit dissous.

Transvasez le riz dans un récipient dès qu'il est cuit. Incorporez la préparation au lait de coco, couvrez et laissez reposer pendant 10 minutes. Servez le riz gluant noir sur une petite assiette à dessert et recouvrez de flan.

annexe

table des recettes

plats uniques

plats végétariens

desserts

Les nouveautés :

Découvrez toute la collection :

entre amis

À chacun sa
petite cocotte

Apéros

Brunchs et petits
dîners pour toi & moi

Chocolat

Cocktails glamour
& chic

Cupcakes colorés
à croquer

Desserts trop bons

Grillades & Barbecue

Verrines

cuisine du monde

200 bons petits
plats italiens

Curry

Pastillas, couscous,
tajines

Spécial thaï

Wok

tous les jours

200 plats pour changer
du quotidien

200 recettes pour
étudiants

Cuisine du marché à
moins de 5 euros

Les 200 plats
préférés des enfants

Mon pain

Pasta

Pâtisserie facile

Petits gâteaux

Préparer et cuisiner
à l'avance

Recettes faciles

Recettes pour bébé

Risotto et autres façons
de cuisiner le riz

Spécial Débutants

Spécial Poulet

bien-être

5 fruits & légumes
par jour

21 menus minceur
pour perdre du poids

21 menus minceur
pour garder la ligne

200 recettes vitaminées
au mijoteur

Papillotes, la cuisine
vapeur qui a du goût

Petits plats minceur

Poissons & crustacés

Recettes vapeur

Salades

Smoothies et petits jus
frais & sains

Soupes pour tous
les goûts

**SIMPLE
PRATIQUE
BON**

**POUR CHAQUE RECETTE,
UNE VARIANTE
EST PROPOSÉE.**

MARABOUT
LES PETITS COSTAUDS CÔTÉ CUISINE